Smak
pestek jabłek

AF
SOCIAL NOVEL

Leniwa Niedziela

W serii:

Leslie Daniels *W łóżku z Nabokovem*
Vanessa Greene *Klub Porcelanowej Filiżanki*
Anka Kowalska *Pestka*
Alina Krzywiec *Długa zima w N.*
Caroline Leavitt *Szczęście w twoich oczach*
Karolina Monkiewicz-Święcicka *Taniec z przeszłością*
Jojo Moyes *Zanim się pojawiłeś*

W przygotowaniu:

Mia March *Klub Filmowy Meryl Streep*
Aleksandra Domańska *Ulica Pogodna*

KATHARINA HAGENA

Smak
pestek jabłek

Z niemieckiego przełożyła
Aldona Zaniewska

Świat Książki

Tytuł oryginału
DER GESCHMACK VON APFELKERNEN

Wydawca
Grażyna Smosna

Redaktor prowadzący
Elżbieta Kobusińska

Redakcja
Ewa Borowiecka

Korekta
Elżbieta Jaroszuk
Irena Kulczycka

First published in the German language as *Der Geschmack von Apfelkernen*
by Katharina Hagena
© 2008, 2009 by Verlag Kiepenheuer & Witsch GmbH & Co. KG.
Cologne/Germany
All rights reserved
Copyright © for the Polish translation by Aldona Zaniewska 2014

Świat Książki
Warszawa 2014

Świat Książki Sp. z o.o.
02-103 Warszawa, ul. Hankiewicza 2

Księgarnia internetowa: Fabryka.pl

Łamanie
Joanna Duchnowska

Druk i oprawa
Interdruk

Dystrybucja
Firma Księgarska Olesiejuk sp. z o.o., sp. k.a.
05-850 Ożarów Mazowiecki, ul. Poznańska 91
email: hurt@olesiejuk.pl, tel. 22 721 30 00
www.olesiejuk.pl

ISBN 978-83-7943-425-1
Nr 90089798

Christofowi

La mémoire ne nous servirait à rien si elle fût rigoureusement fidèle.

Pamięć zdałaby się nam na nic, gdyby była nieubłaganie wierna.

Paul Valéry

Rozdział I

Ciotka Anna umarła w wieku szesnastu lat na zapalenie płuc, którego nie można było wyleczyć, bo miała złamane serce, a ponadto nie odkryto jeszcze penicyliny. Jej śmierć nastąpiła pewnego późnego lipcowego popołudnia. I gdy młodsza siostra Anny, Bertha, pobiegła potem z płaczem do ogrodu, zobaczyła, że wraz z ostatnim szeleszczącym oddechem Anny wszystkie czerwone porzeczki pobielały. Ogród był duży, mnóstwo starych krzaków porzeczek uginało się pod ciężarem owoców. Trzeba je było zebrać już dawno, ale gdy Anna zachorowała, nikt nie myślał o porzeczkach. Moja babka często mi o tym opowiadała, bo to właśnie ona wtedy odkryła te porzeczki pobielałe z żalu. Od tego czasu w ogrodzie mojej babki były już tylko czarne i białe porzeczki, a każda kolejna próba zasadzenia krzaku o czerwonych owocach chybiała – na jego gałęziach pojawiały się tylko białe gronka. Ale nikomu to nie przeszkadzało, białe były prawie tak słodkie jak czerwone i przy wyciskaniu soku nie rujnowały nikomu fartucha, a gotowa galaretka lśniła blado i tajemniczo przezroczyście. „Konserwowe łzy" – nazywała ją moja babka. A na piwnicznych regałach wciąż jeszcze stały różnej wielkości słoiki z galaretką porzeczkową z lata 1981 roku, wyjątkowo obfitego we łzy, ostatniego lata w życiu Rosmarie. Moja matka w poszukiwaniu marynowanych ogórków znalazła kiedyś słoik z 1945 roku z pierwszymi powojennymi łzami. Podarowała go miejscowemu Stowarzyszeniu Młynarzy, a gdy zapytałam, dlaczego, na miłość boską, daje cudowną galaretkę babci jakiemuś regionalnemu muzeum, powiedziała, że te łzy były zbyt gorzkie.

Moja babka, Bertha Lünschen, z domu Deelwater, umarła kilka dziesiątków lat po ciotce Annie, ale już od dawna nie wiedziała, kim była jej siostra, jak sama się nazywa ani czy jest zima, czy lato. Zapomniała, co począć z butem, wełnianą nitką albo łyżką. Z taką samą nerwową łatwością, z jaką odgarniała swoje krótkie siwe loki z karku, zmiatała na kupkę niewidzialne okruszki na stole. Odgłos twardej, suchej skóry jej dłoni na drewnianym kuchennym blacie przypominam sobie wyraźniej niż rysy jej twarzy. Również to, że jej ozdobione pierścionkami palce zawsze mocno zaciskały się wokół tych niewidzialnych okruchów, jak gdyby próbowały pochwycić przesuwające się w jej umyśle cienie, ale być może Bertha starała się tylko nie nakruszyć na podłogę albo chciała nakarmić wróble, które wczesnym latem tak lubiły piaskowe kąpiele w ogrodzie, a przy tym zawsze wygrzebywały rzodkiewki. Potem stół w domu opieki był ze sztucznego tworzywa, a dłoń babki zamarła. Zanim Bertha całkiem straciła pamięć, uwzględniła nas w swoim testamencie. Moja matka, Christa, odziedziczyła ziemię, ciotka Inga papiery wartościowe, ciotka Harriet pieniądze. Ja, ostatnia potomkini, dziedziczyłam dom. Biżuterię i meble, bieliznę i srebra miały podzielić między siebie matka i ciotki. Testament Berthy był przejrzysty jak deszczówka i równie poważny. Papiery wartościowe nie miały zbyt dużej wartości, na porośniętej trawą ziemi północnoniemieckiej równiny oprócz krów nikt nie chciał mieszkać, pieniędzy było niewiele, a dom stary.

*

Bertha musiała pamiętać, że bardzo kiedyś kochałam ten dom. Jej ostatnią wolę poznałyśmy jednak dopiero po pogrzebie. Podróżowałam sama. To była długa i pod wieloma względami kłopotliwa wyprawa: jechałam z Fryburga i musiałam przemierzyć wzdłuż cały kraj, zanim z prawie pustego liniowego autobusu, który podskakując na wybojach, wiózł mnie z jakiegoś upiornego małomiasteczkowego dworca przez niewielkie miejscowości, wysiadłam w końcu na północy, we wsi Bootshaven na przystanku naprzeciwko domu babki. Byłam znużona podróżą, żałobą i poczuciem winy, które odczuwa się zawsze, gdy umiera ktoś, kogo się kochało, ale nie znało dobrze.

Przyjechała również ciotka Harriet, tylko teraz miała na imię Mohani. Ale ani nie nosiła pomarańczowych szat, ani nie ogoliła głowy. Jedynie naszyjnik z drewnianych korali z wizerunkiem guru wskazywał na jej nowy, oświecony stan. Z krótkimi rudymi włosami, farbowanymi henną, i w sportowych butach Reeboka wyglądała inaczej niż reszta czarnych postaci, które zbierały się w małych grupach przed kaplicą. Cieszyłam się ze spotkania z ciotką, chociaż z zakłopotaniem i niepokojem myślałam o tym, że ostatnio widziałam ją trzynaście lat temu. Wtedy, gdy musieliśmy pochować Rosmarie, jej córkę. Ten niepokój był moim dobrym znajomym, w końcu za każdym razem, gdy patrzyłam na swoją twarz w lustrze, myślałam o Rosmarie. Jej pogrzeb był nie do zniesienia, prawdopodobnie w ogóle nie do zniesienia jest sytuacja, kiedy trzeba grzebać piętnastoletnie dziewczyny. Zemdlałam więc wtedy, jak mi później opowiadano. Przypominam sobie jeszcze tylko, że białe lilie na trumnie miały ciepły, wilgotno-słodkawy zapach, który zatykał mi nos i powodował, że w tchawicy rosły pęcherzyki

11

powietrza. Zabrakło mi tchu. Potem wessała mnie wirująca biała dziura.

Obudziłam się w szpitalu. Padając, rozbiłam sobie czoło o krawężnik i trzeba było zszyć ranę. Nad nasadą nosa pozostała blada blizna. To było moje pierwsze omdlenie, później często zdarzało mi się tracić przytomność. To u nas rodzinne.

Ciotka Harriet po śmierci córki odstąpiła od wiary. Przyłączyła się do Bhagwana*. „Biedaczka – mówiono w kręgu znajomych. – Poszła do sekty", przy czym słowo „sekta" wypowiadano, ściszając głos, jakby z obawy, że sekta ich podsłucha i pochwyci, ogoli czaszki, a potem wyśle na deptaki tego świata i każe z dziecięcą radością grać na cymbałach jak ubezwłasnowolnionym wariatom z *Lotu nad kukułczym gniazdem*. Ale ciotka Harriet nie wyglądała tak, jakby na pogrzebie Berthy chciała rozpakować cymbały. Gdy mnie dostrzegła, przytuliła do siebie i pocałowała. Wiele razy całowała bliznę na moim czole, ale nic nie powiedziała i popchnęła mnie dalej, w kierunku mojej matki, która stała obok niej. Matka wyglądała, jak gdyby przepłakała ostatnie trzy dni. Na jej widok serce skurczyło mi się w pomarszczoną grudkę. To okropna chwila, kiedy trzeba pochować własną matkę – pomyślałam, gdy się od niej odsuwałam. Ojciec stał obok i podtrzymywał ją. Był o wiele drobniejszy niż wtedy, kiedy go widziałam ostatnio, i miał na twarzy zmarszczki, których jeszcze nie znałam. Trochę z boku stała ciotka Inga, która mimo czerwonych oczu swoim wyglądem zapierała dech. Jej piękne usta wygięły się w dół, co u niej nie wyglądało płaczliwie, lecz dumnie. I chociaż jej sukienka była skromna i zapięta pod szyję, nie sprawiała wrażenia

---

* Osho (1931–1990), właśc. Rajneesh Chandra Mohan Jain, znany także jako Bhagwan Shree Rajneesh; hinduski guru, mistrz duchowy i nauczyciel. (Wszystkie przypisy pochodzą od tłumaczki).

żałobnej, tylko małej czarnej. Ciotka podeszła i chwyciła mnie za ręce. Drgnęłam, bo przeszył mnie lekki impuls elektryczny płynący z jej lewej dłoni. Na prawym ręku nosiła bursztynową bransoletkę. Dłonie ciotki Ingi były twarde, ciepłe i suche. W to słoneczne czerwcowe popołudnie przyglądałam się innym ludziom, wielu kobietom o siwych lokach i w grubych okularach, z czarnymi torebkami. To były koleżanki z towarzystwa Berthy. Były długoletni burmistrz, za nim oczywiście Carsten Lexow, dawny nauczyciel mojej matki, kilka szkolnych koleżanek oraz powinowate ciotek i matki. Stało tam także trzech wysokich mężczyzn, którzy poważnie i niezdarnie ustawili się jeden obok drugiego i natychmiast można było w nich rozpoznać dawnych wielbicieli ciotki Ingi, bo ledwie ważyli się otwarcie spojrzeć na nią, ale też nie spuszczali z niej oka. Przyszli państwo Koop, sąsiedzi, i jeszcze kilka osób, których nie potrafiłam przyporządkować do żadnej grupy – może ktoś z domu opieki albo z zakładu pogrzebowego, a może z dawnej kancelarii dziadka.

Później wszyscy poszli do lokalu obok cmentarza na maślane ciasto drożdżowe i kawę. Jak zwykle po pogrzebie, żałobnicy zaczęli natychmiast rozmawiać, najpierw cicho, potem coraz głośniej. Nawet matka i Harriet gorączkowo ze sobą dyskutowały. Trzej wielbiciele stanęli na szeroko rozstawionych nogach wokół ciotki Ingi i wyprostowali plecy. Ciotka wydawała się spodziewać od nich hołdów, ale jednocześnie przyjmowała je z łagodną ironią.

Koleżanki z towarzystwa babki siedziały razem w zamkniętym kręgu. Do ich warg przykleiły się okruchy cukru i płatki migdałowe. Jadły tak, jak mówiły: powoli, głośno i bez przerwy. Wraz z dwiema kelnerkami mój ojciec i pan Lexow przynosili z kuchni srebrne tace z górami kwadratowych kawałków maślanego ciasta i stawiali na stołach jeden dzbanek kawy po drugim. Starsze panie troszkę żartowały z tymi dwoma uważnymi „młodymi" mężczyznami, próbowały pozyskać ich do swego towarzystwa. I podczas gdy mój ojciec z szacunkiem, ale z nimi flirtował, pan Lexow uśmiechnął się lękliwie i uciekł do innych stolików. Przecież musiał tu nadal mieszkać.

Kiedy wyszliśmy z lokalu, wciąż jeszcze było ciepło. Pan Lexow zacisnął metalowe pierścienie wokół nogawek swych spodni i wsiadł na czarny rower, który stał oparty o ścianę domu. Na moment podniósł rękę, po czym odjechał w stronę cmentarza. Rodzice i ciotki stali przed drzwiami i patrzyli w wieczorne słońce. Ojciec odchrząknął.

– Ci mężczyźni z kancelarii, widziałyście ich... Bertha sporządziła testament – powiedział.

Zatem byli to prawnicy. Ojciec, nie skończywszy wypowiedzi, otworzył usta i z powrotem je zamknął. Trzy kobiety wciąż patrzyły w czerwone słońce i nic nie mówiły.

– Czekają w domu – dodał ojciec.

Gdy umarła Rosmarie, też było lato, ale nocami z łąk nadpełzał już zapach jesieni. Szybko się wtedy marzło, jeśli się leżało na ziemi. Myślałam o babce, która leżała teraz pod ziemią, o tej wilgotnej czarnej dziurze, w której się znalazła. Torfowa ziemia, czarna i tłusta, a pod nią piach. Kopczyk usypany obok jej grobu wysychał w słońcu, a piasek się wciąż oddzielał, osypywał powoli, kojarzył mi się z pewną jajecznicą.

– To ja – narzekała pewnego razu Bertha. – To moja głowa.

Wskazała głową jajecznicę stojącą na kuchennym stole i szybko podniosła się z krzesła. Biodrem strąciła przy tym ze stołu klepsydrę. Cienka drewniana oprawa pękła, szkło się stłukło i rozprysło. Byłam dzieckiem, a choroba babki nie stała się jeszcze tak zaawansowana, by można było wyraźnie ją zauważyć. Przyklękłam i rozgarniałam palcem wskazującym biały piasek na czarno-białej kamiennej podłodze. Piasek był drobny i połyskiwał w świetle kuchennej lampy. Babka stała obok. Westchnęła i zapytała, jak mogłam stłuc tę piękną klepsydrę. Gdy powiedziałam, że ona to zrobiła, zaczęła kręcić głową. Potem zmiotła okruchy i wyrzuciła je do wiadra na popiół.

Ciotka Harriet wzięła mnie pod rękę. Drgnęłam.
– Możemy? – zapytała.
– Tak, oczywiście.
Spróbowałam się uwolnić z jej łagodnego uścisku. Natychmiast puściła moje ramię. Poczułam jej spojrzenie rzucone z boku.

Szliśmy do domu piechotą. Bootshaven to mała wioska. Ludzie poważnie kiwali głowami, gdy przechodziliśmy obok. Kilka razy zatrzymywały nas starsze panie i podawały rękę nam, ale nie mojemu ojcu. Nie znałam żadnej z nich, ale wydawało się, że one wszystkie znają mnie i wprawdzie mówiły cicho – z szacunku dla naszej żałoby – ale jednak z ledwie skrywanym triumfem, że któraś zauważyła, iż wyglądam jak *de lüttje*. Christel. Chwilę potrwało, zanim pojęłam, że *de lüttje* – ta mała – odnosi się do mojej matki.

Dom widać było już z daleka. Dzikie wino kłębiło się na fasadzie, a okna na górze wyglądały jak czworokątne zagłębienia w ciemnozielonej gęstwinie. Obydwie stare lipy przy wjeździe sięgały aż po dach. Gdy dotknęłam bocznej ściany domu, poczułam, że chropawe czerwone cegły są ciepłe. Podmuch wiatru poruszył wino, lipy się kołysały, dom płytko oddychał.

*

U stóp schodów, które prowadziły do drzwi wejściowych, stali prawnicy. Jeden, gdy zobaczył, że nadchodzimy, wyrzucił papierosa. Potem pospiesznie się schylił i podniósł niedopałek. Gdy weszliśmy na szerokie stopnie, opuścił głowę, wiedział, że widzieliśmy jego gest, szyja mu poczerwieniała i w skupieniu zaczął grzebać w swojej aktówce. Dwaj pozostali mężczyźni patrzyli na ciotkę Ingę. Obydwaj byli młodsi od niej, ale natychmiast zaczęli ją adorować. Jeden z nich wyciągnął z aktówki klucz i spojrzał na nas pytająco. Matka wzięła klucz i włożyła do zamka. Gdy zabrzmiał dźwięk mosiężnego dzwonka przy górnym zawiasie drzwi, wszystkie trzy siostry miały na twarzy ten sam półuśmiech.

– Przejdźmy do gabinetu – powiedziała ciotka Inga i ruszyła przodem.

Zapach korytarza oszołomił mnie – wciąż jeszcze pachniało jabłkami i starą cegłą; rzeźbiony kufer posażny mojej prababki Käthe stał przy ścianie. Po jego lewej i prawej stronie ustawiono dębowe krzesła z herbem rodzinnym – sercem przeciętym piłą. Obcasy matki i ciotki Ingi stukały, piasek skrzypiał pod skórzanymi podeszwami, tylko ciotka Harriet szła za siostrami powoli i bezgłośnie w swoich sportowych reebokach.

Gabinet dziadka był posprzątany. Moi rodzice i jeden z prawników, ten młody, od papierosa, ustawili cztery krzesła, trzy po jednej stronie pokoju i jedno po drugiej. Biurko Hinnerka, ciężkie i nieporuszone całym tym zamieszaniem, stało przy ścianie między dwoma oknami, wychodzącymi na podjazd z lipami. Światło załamywało się na liściach lip i plamami rozświetlało pomieszczenie. Kurz tańczył w smugach światła. Było tu chłodno. Ciotki i matka usiadły na trzech ciemnych krzesłach, jeden z prawników zajął miejsce przy biurku Hinnerka. Ojciec i ja staliśmy za trzema siostrami, dwaj pozostali prawnicy tkwili po naszej prawej stronie, przy ścianie. Nogi i oparcia krzeseł były tak wysokie i proste, że siedzące na nich osoby natychmiast przyjmowały pozycję pod kątem prostym: stopy i podudzia, uda i plecy, przedramiona i ramiona, szyje i łopatki, brody i szyje. Siostry wyglądały jak egipskie posągi w komorze grobowej. I chociaż niespokojne światło nas oślepiało, nie nagrzało pokoju.

Mężczyzna zajmujący krzesło Hinnerka, to nie był ten od papierosa, majstrował przy zamkach swojej aktówki. Wyglądało to jak znak dla dwóch pozostałych, którzy odchrząknęli i poważnie spojrzeli na tego pierwszego, najwyraźniej szefa. Ten przedstawił się jako partner wcześniejszego partnera Heinricha Lünschena, mojego dziadka.

Testament Berthy został odczytany i objaśniony. Ojca ustanowiono jego wykonawcą. Tylko jeden jedyny płynny ruch przeszedł przez ciała sióstr, gdy usłyszały, że to ja mam odziedziczyć dom. Opadłam na jakiś stołek i patrzyłam na partnera partnera. Gdy ten od papierosa odwrócił się, spuściłam wzrok i wpatrywałam się w kartki z pieśniami z uroczystości żałobnej, które wciąż jeszcze trzymałam w dłoni. Na kciuku odcisnęły mi się nuty chorału *O Głowo pełna krwi i ran* z *Pasji wg św. Mateusza*. Widziałam przed sobą drukarki atramentowe, głowy pełne krwi i ran, włosy jak strumienie czerwonego atramentu, dziury w głowach, luki w pamięci Berthy, piasek z klepsydry. Z piasku, jeśli tylko był dostatecznie gorący, robiono szkło. Dotknęłam palcami swojej blizny, nie, żaden piasek się jeszcze nie wysypywał, tylko z mojej aksamitnej spódnicy uniósł się kurz, gdy znów zacisnęłam dłoń i założyłam nogę na nogę. Obserwowałam małe oczko w rajstopach, które leciało od mojego kolana i gubiło się w czarnym aksamicie sukienki. Poczułam spojrzenie Harriet i podniosłam wzrok. Jej oczy były pełne współczucia, nienawidziła tego domu. Przez pamięć rozmarynu. Kto to powiedział? Nikt nie pamiętał. Im dłuższe i szersze były oczka lecące w pamięci Berthy, tym większe okruchy wspomnień przez nie przelatywały. Im bardziej jej się wszystko mieszało, tym bardziej szalone były wełniane robótki, które dziergała i które wskutek ciągłego gubienia oczek, przerabiania ich razem albo nabierania nowych przy brzegu rosły i kurczyły się w różnych kierunkach, rozwarstwiały i filcowały, można je było spruć ze wszystkich stron. Moja matka zebrała te robótki w Bootshaven i zabrała do domu. Przechowywała je w kartonie w szafie na ubrania w sypialni. Trafiłam na nie przypadkiem i rozkładałam na łóżku rodziców jedną dzierganą rzeźbę po drugiej, z mieszaniną przerażenia i uciechy. Wtedy przyszła matka. Nie mieszkałam już z rodzicami, a Bertha była w domu opieki. Przez chwilę oglądałyśmy to wełniane monstrum.

– W końcu musiała gdzieś konserwować każdą swoją łzę – powiedziała matka jakby na usprawiedliwienie.

Potem zapakowała wszystko z powrotem do szafy. Nigdy więcej nie rozmawiałyśmy o robótkach Berthy.

Wszyscy wyszli gęsiego z gabinetu, przeszli korytarzem do drzwi wejściowych, dzwonek odezwał się blaszanym dźwiękiem. Mężczyźni podali nam ręce i poszli sobie, a my usiedliśmy na zewnętrznych schodach. Prawie każda z ich żółtobiałych kamiennych płyt miała jakieś pęknięcie, ale nie w poprzek, tylko wzdłuż. Płaskie kawałki pękały i odpryskiwały, leżały teraz luzem i można je było zdjąć jak pokrywki. Kiedyś nie było ich tak dużo, może sześć czy siedem, używałyśmy ich jako skrytek, gdzie chowałyśmy piórka, kwiatki i listy.

Wtedy pisałam listy, wierzyłam jeszcze w to, co pisane, drukowane i czytane. Potem przestałam wierzyć. Byłam bibliotekarką w bibliotece uniwersyteckiej we Fryburgu, pracowałam z książkami, kupowałam książki, czasami nawet sobie jakąś wypożyczałam. Ale czytać? Nie. Kiedyś tak, owszem, czytałam bez przerwy, w łóżku, przy jedzeniu, na rowerze. Ale skończyłam z tym. Czytanie było tym samym, co zbieranie, a zbieranie było tym samym, co przechowywanie, przechowywanie zaś było tym samym, co przypominanie sobie, a przypominać sobie znaczyło tyle, co nie wiedzieć dokładnie, a nie wiedzieć dokładnie znaczyło tyle, co zapomnieć, zapomnieć z kolei było tym samym, co upaść, a te upadki musiały się skończyć.

To było jakieś uzasadnienie.

Lubiłam pracę bibliotekarki. Z tych samych powodów, z których już nie czytałam.

Najpierw studiowałam germanistykę, ale przy pisaniu prac seminaryjnych zauważyłam, że wszystko, co robiłam po zestawieniu bibliografii, wydawało mi się bez znaczenia. Katalogi, indeksy rzeczowe, spisy literatury, skorowidze miały własne subtelne piękno, które przy powierzchownym czytaniu było równie nieuchwytne jak sens hermetycznego wiersza. Kiedy po omacku zbliżałam się powoli od jakiegoś ogólnego kompendium wiedzy z jego wieloma pogiętymi od używania stronami poprzez wiele innych książek do wysoce specjalistycznej monografii, której przede mną jeszcze nikt oprócz jakiegoś bibliotekarza nie wziął do ręki, wywoływało to we mnie poczucie satysfakcji, z którym to, co odczuwałam w stosunku do tekstu własnej pracy, nigdy nie mogło się równać. Ponadto to, co zapisane, było również tym, czego nie trzeba było zapamiętać, a zatem tym, co dało się spokojnie zapomnieć, ponieważ już przecież było wiadomo, gdzie to zostało zapisane. I w ten oto sposób znów nabierała mocy zasada, która dotyczyła czytania.

W swojej pracy najbardziej lubiłam tropienie zapomnianych książek, książek, które stały na swoim miejscu już od setek lat, prawdopodobnie jeszcze nigdy nieczytane, z grubą warstwą kurzu na górze, a które przecież przeżyły miliony swoich nieczytelników. Odnalazłam siedem lub osiem takich książek i nieregularnie je odwiedzałam, ale nigdy ich nie dotknęłam. Czasami je tylko obwąchiwałam. Jak większość bibliotecznych książek, źle pachniały, w przeciwieństwie do tych świeżo wydrukowanych. Najgorzej pachniała książka o staroegipskich fryzach na murach, była już całkiem poczerniała i paskudna. Babkę odwiedziłam w domu opieki jeden jedyny raz. Siedziała w swoim pokoju, bała się mnie i narobiła w majtki. Przyszła pielęgniarka i zmieniła jej pieluchę. Na pożegnanie pocałowałam Berthę w policzek. Był chłodny, a na swoich wargach poczułam siateczkę zmarszczek, które miękko układały się na jej skórze.

Kiedy czekałam na schodach, wodząc palcem po rysach w kamiennych płytach, matka siedziała dwa schodki wyżej i mówiła do mnie. Mówiła cicho i nie kończyła zdań, wydawało się więc, że dźwięk jej głosu jeszcze przez jakiś czas unosi się w powietrzu. Rozdrażniona, zadawałam sobie pytanie, dlaczego od niedawna wciąż to robi. Dopiero gdy położyła mi na kolanach duży mosiężny klucz, który ze swoim wygiętym piórem wyglądał jak sceniczny rekwizyt do bożonarodzeniowej bajki, zauważyłam w końcu, co się tu działo. Chodziło o dom, chodziło o córki Berthy, tutaj na rozpadających się schodach, o jej nieżyjącą siostrę, która urodziła się w tym domu, o mnie i o Rosmarie, która w tym domu umarła. I chodziło o młodego adwokata od papierosa. Mało brakowało, bym go nie rozpoznała, ale to był bez wątpienia młodszy brat Miry Ohmstedt, naszej najlepszej przyjaciółki. Najlepszej przyjaciółki Rosmarie i mojej.

Rozdział II

Rodzice, ciotki i ja przenocowaliśmy w trzech pokojach gościnnych w miejscowej karczmie.

– Jedziemy z powrotem na dół, do Badenii – oznajmiła matka następnego ranka. Powtarzała to raz za razem, jak gdyby musiała sama siebie upewnić.

Jej siostry wzdychały. Brzmiało to tak, jakby mówiła, że teraz zjeżdża na dół do szczęścia. I prawdopodobnie tak też było. Ciotka Inga pozwoliła im podwieźć się aż do Bremy. Szybko ją objęłam i znów kopnął mnie prąd.

– Tak wcześnie rano? – zapytałam zdziwiona.

– Dziś będzie gorąco – powiedziała przepraszająco.

Skrzyżowała przed sobą ręce, a jej dłonie długim szybkim ruchem przeciągnęły od ramion aż do nadgarstków, potem wyprostowała palce i otrząsnęła je. Lekko zatrzeszczało, gdy z opuszków spadały iskry.

Rosmarie uwielbiała deszcze iskier ciotki Ingi.

– Pozwól jeszcze raz spaść deszczowi gwiazd – prosiła, zwłaszcza gdy stałyśmy w ciemnościach w ogrodzie.

Potem z nabożeństwem przyglądałyśmy się, jak na ułamek sekundy na dłoniach ciotki zapalają się drobniutkie punkciki.

– Czy to boli? – pytałyśmy, a ona kręciła głową.

Nie wierzyłam jej. Drgała, gdy opierała się o samochód, otwierała drzwi szafy, zapalała światło czy włączała telewizor. Zdarzało się, że upuszczała rzeczy. Czasem przychodziłam do kuchni, a ciotka Inga w kucki zbierała zmiotką skorupy. Kiedy ją pytałam, co się stało, mówiła:

– Ach, to tylko głupi wypadek, jestem taka niezręczna.

Kiedy nie mogła uniknąć podania ludziom ręki, usprawiedliwiała się, ponieważ często krzyczeli przestraszeni. Rosmarie nazywała ją Iskrzącym Palcem. Dla wszystkich było oczywiste, że podziwia ciotkę Ingę.

– Mamo, dlaczego ty tak nie potrafisz? – zapytała kiedyś ciotkę Harriet. – I ja też nie?

Ciotka Harriet popatrzyła na nią i odpowiedziała, że ciotka Inga nie potrafi inaczej przekazać na zewnątrz swojego wewnętrznego napięcia, a Rosmarie nieustannie się rozładowuje, dlatego u niej nigdy nie mogłoby dojść do takich wyładowań i że Rosmarie powinna się z tego cieszyć. Ciotka Harriet zawsze miała duchowe nastawienie do życia. Przeszła już kilkoma ścieżkami do swego wnętrza i z powrotem, zanim została Mohani i zaczęła nosić ten drewniany naszyjnik. Gdy umarła jej córka, tak wyjaśniała to sobie moja matka, Harriet szukała dla siebie ojca i sama znów została córką. Chciała wtedy czegoś stałego. Czegoś, co powstrzyma ją od upadku i jednocześnie pomoże jej zapomnieć. Nigdy nie zadowoliłam się tym wyjaśnieniem. Ciotka Harriet kochała dramaty, nie melodramaty. Być może była zwariowana, ale nigdy wulgarna. Być może czuła się związana z nieżyjącym Osho. To, że zmarły może być tak żywy, musiało działać na nią kojąco, bo żywy Bhagwan nigdy nie robił na niej takiego wrażenia i śmiała się ze zdjęć przedstawiających go przed jego licznymi wielkimi samochodami.

*

Gdy matka, ojciec i ciotka Inga odjechali, w karczmie wypiłyśmy z ciotką Harriet herbatkę miętową. Nasze milczenie było nostalgiczne i swobodne.

– Pójdziesz teraz do domu? – zapytała w końcu ciotka.

Wstała i chwyciła swoją skórzaną torbę podróżną, która stała obok naszego stolika. Spojrzałam w oczy uśmiechniętemu Osho w drewnianej ramce jej naszyjnika i skinęłam głową. Odkiwnął mi. Ja również wstałam. Ciotka przytuliła mnie tak mocno, że aż zabolało. Nie powiedziałam nic i patrzyłam nad jej ramieniem na pustą salę gospody. Zapach kawy i potu, który wczoraj ciepło otulał żałobników, wciąż jeszcze wisiał pod niską białą powałą. Ciotka pocałowała mnie w czoło i wyszła. Jej sportowe buty popiskiwały na nawoskowanych deskach.

Na ulicy obejrzała się i pomachała mi. Podniosłam rękę. Stanęła na przystanku autobusowym i odwróciła się do mnie plecami. Jej ramiona były trochę pochylone do przodu, a krótkie rude włosy na karku opadały na kołnierz czarnej bluzki. Przestraszyłam się. Dopiero od tyłu zauważyłam, że ciotka jest nieszczęśliwa. Pospiesznie odeszłam od okna i z powrotem usiadłam przy stole. Nie chciałam jej upokorzyć. Gdy ryk nadjeżdżającego autobusu zatrząsł szybami, podniosłam wzrok i rzuciłam jeszcze jedno spojrzenie na ciotkę Harriet, która patrzyła tępo w zagłówek siedzenia przed sobą.

Znów poszłam piechotą do domu. Torba mi nie ciążyła, była w niej czarna aksamitna spódnica. Miałam na sobie krótką czarną sukienkę bez rękawów i czarne sandały na grubych klinowatych obcasach, w których można długo chodzić po wyasfaltowanych chodnikach albo przynosić książki z regałów, nie łamiąc sobie nóg. Niewiele się działo tego sobotniego poranka. Przed sklepem Edeka siedziało kilkoro młodych ludzi na skuterach i jadło lody. Dziewczyny ciągle potrząsały świeżo umytymi włosami. Wyglądało to niesamowicie, jak gdyby ich szyje były zbyt słabe, żeby utrzymać głowy, i obawiałam się, że te głowy nagle mogą opaść do tyłu albo na bok. Musiałam się gapić na tę grupę, bo wszyscy zamilkli i patrzyli na mnie. Chociaż było mi nieprzyjemnie, poczułam jednak ulgę, że głowy dziewczyn przestały się kołysać, pozostały na szyjach i nie zatrzymały pod dziwnymi kątami na ich ramionach czy mostkach.

Główna ulica zakręcała ostrym łukiem w lewo, szutrowa droga na łąki wiodła dalej prosto obok stacji benzynowej BP i dwóch domów. Zamierzałam napompować sobie potem dętki jednego z rowerów i pojechać tą drogą aż do śluzy. Albo nad jezioro. Dzisiaj miało być ciepło, jak mówiła ciotka Inga.

Szłam prawą stroną ulicy. Po lewej można było zobaczyć już tylko wielki młyn za topolami, świeżo pomalowany i było mi przykro, że jest tak niecnie kolorowy. W końcu nikt przecież nie wpadłby na pomysł, by panie z towarzystwa mojej babki zmusić do noszenia połyskliwych legginsów. Gospodarstwo Berthy, które miało być teraz moim domem, leżało prawie naprzeciwko młyna. Stanęłam przed wjazdem. Ocynkowana brama była zamknięta i niższa, niż ją pamiętałam, mniej więcej do wysokości bioder, błyskawicznie więc podkurczyłam nogi i przeskoczyłam nad nią.

W świetle poranka dom był ciemną, zniszczoną ruderą z szerokim, niedbale wybrukowanym podjazdem. Lipy tonęły w cieniu. Po drodze do schodów zobaczyłam, że ogród od frontu zarósł niezapominajkami. Niebieskie kwiatuszki właśnie przekwitały i więdły, niektóre zblakły, inne zbrązowiały. Gąszcz przekwitłych niezapominajek. Pochyliłam się nad nimi i zerwałam jeden kwiatek. W ogóle nie był niebieski. Był szary i fioletowy, i biały, i różowy, i czarny. Kto właściwie dbał o ten ogród, gdy Bertha przebywała w domu opieki? Kto dbał o dom? Chciałam o to zapytać brata Miry.

W wejściu znów uderzył mnie zapach jabłek i zimnych cegieł. Postawiłam torbę na kufrze i przeszłam przez korytarz. Wczoraj dotarliśmy tylko do gabinetu. Nie zaglądałam do pokoi, tylko otworzyłam drzwi na końcu korytarza. Po prawej stronie strome schody wiodły na górę, na wprost szło się dwoma schodkami w dół, a potem na prawo do łazienki, przez której sufit pewnego wieczoru wpadł mój dziadek, akurat gdy matka mnie kąpała. Chciał nas trochę postraszyć i dlatego skakał po drewnianej podłodze. Deski musiały być zmurszałe, a dziadek był rosłym, ciężkim człowiekiem. Złamał sobie rękę, a nam nie wolno było nikomu zdradzić, jak to się stało.

Okazało się, że drzwi do sieni są zamknięte. Klucz wisiał na ścianie obok, a do niego przyczepiono mały drewniany klocek. Nie ruszyłam go. Weszłam na górę, do pokoi, gdzie kiedyś spałyśmy i bawiłyśmy się. Trzeci schodek od dołu trzeszczał jeszcze bardziej niż kiedyś, ale cały dom chyba stał się cichszy. A jak było na górze z dwoma ostatnimi stopniami? Tak, te też wciąż skrzypiały, dołączył nawet do nich jeszcze i trzeci. Balustrada również zaskrzypiała, gdy tylko jej dotknęłam.

Na górze powietrze było ciężkie i nieświeże, ciepłe jak wełniane koce, które leżały tam w kufrach. Otworzyłam okna w dużym przechodnim pokoju, potem wszystkie czworo drzwi do pokoi, obydwie pary drzwi pokoju przechodniego, który należał do mojej matki, i dwanaście okien w pięciu sypialniach. Nie dotykałam tylko uchylnego okna w dachu nad schodami. Było grubo oplecione pajęczyną. Setki pająków przez lata uplotło tu swoje sieci, teraz sfilcowane i stare, w których oprócz zasuszonych much wisiały być może również zwłoki ich dawnych mieszkańców. Wszystkie te pajęczyny tworzyły razem miękką białą materię, mleczny filtr słoneczny, prostokątny i matowy. Pomyślałam o siateczce zmarszczek na policzkach Berthy. Miała tak duże oczka, że wydawało się, iż od tyłu przez skórę przeziera dzienne światło. Bertha na starość stała się przezroczysta, a jej dom się uszczelnił.

– Jedno i drugie dziwaczne – powiedziałam głośno do okna w dachu, a pajęcza tkanina zafalowała od mojego oddechu.

Tu, na górze, stały potężne stare szafy na ubrania, tu się bawiłyśmy, Rosmarie, Mira i ja. Mira była koleżanką z sąsiedztwa, ciut starszą od Rosmarie i dwa lata starszą ode mnie. Wszyscy byli zdania, że jest bardzo spokojną dziewczynką, ale my tak nie uważałyśmy. Wprawdzie nie mówiła wiele, ale emanowała niepokojem, gdziekolwiek się znalazła. Nie wierzę, że wynikało to tylko z czarnych ubrań, które zawsze nosiła. To było wówczas powszechne. Niepokój czaił się raczej w jej podłużnych brązowych oczach, w których zawsze między dolną powieką a tęczówką widoczny był biały pasek. Przez czarną kreskę, którą malowała na dolnej powiece, jej oczy wyglądały, jak przez pomyłkę osadzone odwrotnie, górą do dołu. Górna powieka ciężko opadała prawie do źrenicy. To nadawało jej spojrzeniu nieco przyczajony, a jednocześnie zmysłowo-ociężały wygląd. Mira była bardzo ładna. Z małymi, pomalowanymi na ciemnoczerwono ustami, ufarbowanym na czarno paziem, tymi oczami i kreskami na powiekach wyglądała jak uzależniona od morfiny diwa z niemych filmów. Miała szesnaście lat, kiedy widziałam ją ostatni raz. Rosmarie kilka dni później też skończyłaby szesnaście lat, ja miałam czternaście.

Mira nie tylko nosiła się na czarno, jadła też wyłącznie to, co czarne. W ogrodzie Berthy zbierała jeżyny, czarne porzeczki i tylko całkiem ciemne wiśnie. Kiedy we trzy urządzałyśmy sobie piknik, musiałyśmy zawsze zapakować gorzką czekoladę albo kanapki z kaszanką. Mira czytała też jedynie te książki, które przedtem obłożyła w czarny papier, słuchała czarnej muzyki i myła się czarnym mydłem, które kazała sobie przysyłać ciotce z Anglii. Na zajęciach z plastyki broniła się przed malowaniem akwarelami, tylko rysowała piórkiem i tuszem albo węglem, ale robiła to lepiej niż wszyscy inni, a ponieważ nauczycielka plastyki miała do niej słabość, pozwalała na to.

– Nie dość, że musimy malować na białym papierze, to jeszcze kolorowo! – mówiła pogardliwie Mira, ale lubiła rysować na białym papierze, nie dało się ukryć.

– Chodzisz też na czarne msze? – zapytała kiedyś ciotka Harriet.

– Nic mi nie dają – spokojnie odpowiedziała Mira i spojrzała na ciotkę spod czarnych powiek. – Wprawdzie chyba wszystko tam też jest czarne, ale nieapetyczne i głośne. W końcu chyba oni przecież nie należą do CDU* – dorzuciła z lekkim uśmiechem.

Ciotka się roześmiała i podsunęła jej pudełko z czekoladkami After Eight. Mira skinęła głową i wzięła spiczastymi palcami czarną papierową torebkę z czekoladką.

Mira miała jednak pewną namiętność. Jedyną nie czarną. Była kolorowa, niestała i migotliwa – Rosmarie. Co stało się z Mirą po śmierci Rosmarie, nie wiedziała nawet ciotka Harriet. Wiadomo było tylko, że nie mieszkała już we wsi.

Klęczałam na jednym z posażnych kufrów, opierając się przedramionami o parapet. Na zewnątrz drżały listki płaczącej wierzby. Wiatr – prawie o nim zapomniałam w letnim fryburskim upale i za chłodnymi betonowymi murami biblioteki uniwersyteckiej. Wiatr był wrogiem książek.

---

* Unia Chrześcijańsko-Demokratyczna, niemiecka partia chadecka, barwy: czarna i pomarańczowa.

W specjalnej czytelni starych i rzadkich woluminów nie wolno było otwierać okien. Nigdy. Wyobraziłam sobie, co wiatr mógłby zrobić z luźnymi kartkami mającego mniej więcej trzysta siedemdziesiąt lat manuskryptu Jakoba Boehmego *De signatura rerum*, i omal od razu nie zamknęłam okien. Tu na górze było mnóstwo książek. Stały w każdym pokoju, a w dużym pomieszczeniu, z którego drzwi prowadziły do pozostałych pokoi na piętrze, znajdował się skład tego, czego nie wolno było wynieść do piwnicy: wszystkich tekstyliów i właśnie książek. Wychyliłam się z okna i patrzyłam, jak róża pnie się po daszku nad drzwiami wejściowymi i opada z balustrady schodów przez mały murek tuż przy stopniach. Zeszłam z kufra na podłogę, bolały mnie kolana. Utykając, przeszłam wzdłuż regałów na książki. Komentarze prawnicze, których papier był nieforemnie spęczniały, prawie zgniatały wątłą książkę *Beniaminek i wojna światowa*. Pogięty grzbiet nosił tytuł pisany gotykiem. Przypomniałam sobie, że w środku wpisane było dziecięcym pismem Sütterlina nazwisko mojej babki. *Dzieła zebrane* Wilhelma Buscha przyjacielsko opierały się na autobiografii Arthura Schnitzlera. Tu *Odyseja*, tam *Faust*. Kant przytulił się do Chamissa, listy Fryderyka Wielkiego stały grzbiet w grzbiet z książką *Pucki – młoda pani domu*. Próbowałam wyśledzić, czy te książki zostały ustawione obok siebie przypadkowo, czy też panował w tym jakiś porządek. Może ustawiono je według jakiegoś kodu, który musiałam rozszyfrować. W każdym razie nie uporządkowano ich według wielkości. Kolejność alfabetyczną czy chronologiczną można było też wykluczyć, podobnie jak ustawienie według wydawnictw, krajów pochodzenia, autorów czy tematyki. Czyli system przypadkowy. Jeśli przypadek ma jakiś system, nie jest już przypadkowy, a jeśli nawet jest nie do uniknięcia, to przynajmniej można się z nim liczyć. Wszystko inne to były wypadki. Przesłanie grzbietów książek pozostało dla mnie niezrozumiałe, ale postanowiłam o nim nie zapominać. Z biegiem czasu coś wpadnie mi do głowy, tego byłam pewna.

Która w ogóle godzina? Nie miałam zegarka na rękę, polegałam na zegarach w aptekach, na stacjach benzynowych i w sklepach jubilerskich, na zegarach dworcowych i budzikach moich krewnych. W domu było wiele wspaniałych zegarów, ale żaden nie chodził. Niepokoiła mnie myśl, że zostałam bez zegarka. Jak długo gapiłam się na te książki? Czy południe już minęło? Pajęczyny w oknie w dachu prawdopodobnie stały się jeszcze grubsze w czasie, który spędziłam tu, na górze. Spojrzałam na migotliwy prostokąt i próbowałam się uspokoić, myśląc w dłuższych kategoriach czasowych. Jeszcze nie zapadła noc, wczoraj był pogrzeb, dziś sobota, jutro będzie niedziela, na pojutrze wzięłam sobie wolne, a potem i ja pojadę na dół do Badenii. Ale nie działało. Rzuciłam regałowi na książki ostatnie spojrzenie, zamknęłam okna w pokojach i zeszłam po schodach, które również – gdy już dotarłam na dół – jeszcze przez jakiś czas trzeszczały.

Chwyciłam swoją torbę podróżną i stałam niezdecydowana w zimnym korytarzu. Po tak długim czasie i prawdopodobnie pierwszy raz sama w tym domu czułam się jak podczas jakiejś inwentaryzacji. Co tutaj jeszcze było, czego nie było, a co tylko zapomniałam. Co rzeczywiście się zmieniło, a co teraz odbierałam inaczej. Przez szyby drzwi wejściowych widziałam róże, słońce w wierzbie i łąkę. Gdzie mam się ulokować? Lepiej na górze, parterowe pokoje należały jeszcze do babki, nawet jeśli przez ostatnie pięć lat do nich nie wchodziła. W domu opieki była prawie trzynaście lat, ale ciotki często przywoziły ją do domu na popołudnia. Jednak kiedyś nie chciała, a później już nie umiała wsiąść do samochodu, chodzić, mówić. Otworzyłam drzwi do sypialni

Berthy. Mieściła się obok gabinetu, a jej okna również wychodziły na podwórko z lipami. Żaluzje były opuszczone. Między oknami stała toaletka. Usiadłam na stołku i patrzyłam w duże potrójne lustro, które wyglądało jak otwarta księga. Moje dłonie chwyciły boczne skrzydła i przyciągnęły trochę do środka. Jak kiedyś, oglądałam niezliczone obrazy swojej twarzy w odbijających się wzajemnie bocznych taflach. Moja blizna błyszczała biało. Widziałam siebie odbitą tak wiele razy, że już sama nie wiedziałam, gdzie naprawdę jestem. Odnalazłam się dopiero wówczas, gdy całkiem złożyłam jedno skrzydło.

Jeszcze raz poszłam na górę i szeroko otworzyłam okna. Tu, na górze, stały wszystkie szafy na ubrania z niegdyś wspaniałymi szatami z delikatnych, zmęczonych materiałów, z których wszystkie już w dzieciństwie nosiłam. Stały tam stare skrzynie wypełnione uprasowaną bielizną, koszulami nocnymi i obrusami z monogramem mojej prababki, ciotki Anny i Berthy, poszewki i prześcieradła, wełniane koce, puchowe kołdry, szydełkowe kapy, koronkowe serwety, ażurowe hafty i długie pasy przezroczystych białych firanek. Proste belki tkwiły w suficie, otwarte drzwi skrzypiały. I nagle coś we mnie pękło, i musiałam się rozpłakać, bo wszystko było takie straszne, a jednocześnie takie piękne.

Ale też nierzadko zdarzało mi się płakać.

Postawiłam torbę w dawnym pokoju mojej matki, tym przechodnim. Z bocznej kieszeni wyłowiłam portmonetkę i szybko zbiegłam schodami na dół. Gdy się biegło, tylko przez moment trzeszczały. Chwyciłam klucz, który powiesiłam na haku obok drzwi, otworzyłam je, dzwonek zabrzęczał, potem zamknęłam za sobą. I znów schodami w dół, jeden wdech z zapachem róż dla płuc, krótkie spojrzenie na taras, kiedyś był tu ogród zimowy, szybko, szybko przez różaną pergolę, furtkę, i już byłam na zewnątrz. Na stacji benzynowej zaraz za rogiem musiało być przecież coś do jedzenia. Na sklep Edeka i kołyszące się głowy wiejskiej młodzieży nie miałam ochoty, tak jak na ciekawskie spojrzenia ludzi, których teraz już na pewno poruszało się po ulicy więcej.

Na stacji benzynowej wiele się działo. Odbywało się tu rytualne sobotnie mycie samochodów. W sklepie przed regałem z batonami czekoladowymi stało dwóch chłopców z głębokimi poprzecznymi zmarszczkami na czołach. Nawet nie podnieśli wzroku, kiedy przecisnęłam się obok nich. Kupiłam mleko i chleb, ser, butelkę soku jabłkowego i duże opakowanie multiwitaminowej maślanki. Poza tym gazetę, torebkę chipsów i tabliczkę czekolady z orzechami na wszelki wypadek. No, dwie tabliczki, dla pewności. Mogłam przecież wrócić w każdej chwili i kupić jeszcze więcej czekolady z orzechami. Płynnie przeszłam do kasy. Wychodząc, widziałam dwóch chłopców wciąż tkwiących w tym samym miejscu.

Na kuchennym stole Berthy moje sprawunki wyglądały sztucznie i niedorzecznie. Chleb w plastikowym worku, zafoliowany ser i jaskrawe, kolorowe opakowanie maślanki. Może jednak powinnam była pójść do sklepu Edeka. Wzięłam do ręki ser, sześć identycznych żółtych prostokątów. Te utrwalane rzeczy były dziwne, być może również ten ser zostanie po jakimś czasie eksponatem wystawionym w regionalnym muzeum Stowarzyszenia Młynarzy. Wdziałam kiedyś w bibliotece książkę o eat-art, a w niej zdjęcia jedzenia na wystawie. Jedzenie pleśniało, zdjęcia utrwaliły rozkład, a książka miała ponad trzydzieści lat. Tego jedzenia z pewnością od dawna nie było, pochłonęły je głodne bakterie, ale na żółtawych błyszczących stronicach wciąż trwało, zachowane w swego rodzaju kulturalnej międzyprzestrzeni. Konserwowanie miało w sobie coś bezlitosnego. Być może również wielkie zapominanie było nie czym innym, tylko robieniem z godnością wielkiego halo tam, gdzie zwykle zdarzało się okrutne zachowywanie? Spora część niemieckiego słowa „zapominać" (*vergessen*) to *essen*, znaczy „jeść". Najwyraźniej byłam głodna. Może powinnam poszukać w piwnicy galaretki z porzeczek. Dobrze smakowała z czarnym chlebem. Zapomniałam kupić masło.

W kuchni było chłodno i przestronnie. Podłoga składała się z milionów małych, czarno-białych kanciastych kamyków. Słowo *terazzo* poznałam znacznie później. W dzieciństwie mogłam godzinami wpatrywać się w ten kamienny wzorek. W końcu, gdy zaczynał się rozmywać przed oczami, na kuchennej podłodze pojawiały się nagle tajemne napisy. Ale zawsze znikały, zanim zdążyłam je rozszyfrować.

Kuchnia miała troje drzwi – te, przez które weszłam z korytarza, potem drzwi z ryglem, które prowadziły do piwnicy, trzecie do sieni.

Sień nie mieściła się ani w środku, ani na zewnątrz. Kiedyś była szopą z glinianą polepą zamiast podłogi, z szerokimi rowkami odpływowymi. Z kuchni prowadziły w dół trzy schodki, dalej stało wiadro na śmieci, a przy otynkowanych szorstko ścianach piętrowo ułożone było drewno. Jeśli wyszło się z kuchni prosto przez dawną szopę, docierało się znów do drzwi, zielonych drewnianych, a te wychodziły na dwór, na tyły domu, do sadu. Jeśli się jednak człowiek od razu odwrócił w prawo, i to zrobiłam, trafiał na pomieszczenia gospodarcze. Jako pierwsze otworzyłam drzwi do pralni, w której kiedyś była latryna, ale dziś stały tam tylko dwie olbrzymie zamrażarki. Obydwie puste, z otwartymi drzwiczkami, wtyczki leżały obok.

Stąd wąskie schody prowadziły na podest, z którego dziadek nas straszył. Za pralnią znajdował się jeszcze pokój kominkowy. Przedtem był to przedsionek ogrodu zimowego, pełen osłonek na doniczki i kwietników, konewek i składanych krzeseł. Miał jasną kamienną podłogę i dosyć nowe przesuwane drzwi ze szkła, które prowadziły na taras, wyłożony takimi samymi płytami kamiennymi jak sąsiadujący z nim pokój. Gałęzie płaczącej wierzby muskały płyty i zakrywały widok na zewnętrzne schody oraz drzwi wejściowe.

Usiadłam na sofie obok czarnego kominka i patrzyłam na dwór. Po ogrodzie zimowym nie było śladu. Pozostała tylko przezroczysta elegancka konstrukcja, która zupełnie nie chciała pasować do krzepkiego domu z czerwonej cegły. Jedynie szkło i stalowy szkielet. Ciotka Harriet kazała ją usunąć przed trzynastu laty. Po wypadku Rosmarie. O szklanej dobudówce przypominały tylko jasne kamienne płyty, które właściwie były zbyt delikatne na zewnętrzne warunki.

Nagle uznałam, że nie chcę mieć tego domu, który od dawna nie był domem, stał się tylko wspomnieniem, jak ten ogród zimowy, którego już nie było. Gdy wstałam, żeby otworzyć przesuwane drzwi, poczułam, jak zdrętwiałe mam ręce. Pachniało mchem i cieniem. Zasunęłam drzwi z powrotem. Wypalony kominek emanował chłodem. Powiem bratu Miry, że nie chcę przyjąć spadku. Ale teraz muszę stąd wyjść, wyjść i ruszyć do śluzy na rzece. Szybko pobiegłam z powrotem do sieni i szukałam wśród gratów jakiegoś sprawnego roweru. Te nowsze były w kiepskim stanie, jedynie całkiem stary czarny rower dziadka bez przerzutek trzeba było tylko podpompować.

Mogłam jednak wyjść dopiero wtedy, gdy zrobiłam długą i skomplikowaną rundę po domu, żeby zaryglować od wewnątrz drzwi, potem znów przedostać się przez inne drzwi, które dało się zamknąć wyłącznie z zewnątrz, i tak zataczając rozległe kręgi, dotarłam w końcu do ogrodu. Bertha jeszcze długo dawała sobie sama radę. Nawet gdy już nie mogła pójść do młyna, żeby się nie zgubić, z pralni natychmiast trafiała do łazienki, nawet jeśli jedne lub drugie drzwi po drodze akurat były zamknięte z drugiej strony. Przez dziesiątki lat zintegrowała się w pełni z tym domem, i gdyby ktoś jej zrobił obdukcję, na podstawie zwojów jej mózgu albo układu żył w krwiobiegu, mógłby sporządzić plan poruszania się po domu. A jego serce stanowiła kuchnia.

Jedzenie ze stacji benzynowej włożyłam do koszyka, który znalazłam na lodówce. Uchwyt był złamany, przytwierdziłam więc kosz do bagażnika i wyprowadziłam rower z sieni przez drzwi do ogrodu, które wszyscy nazywali drzwiami kuchennymi, chociaż nie wiodły do kuchni, a tylko widać je było stamtąd. Gałęzie wierzby muskały moją głowę i kierownicę. Przepchnęłam rower przy schodach wejściowych, potem poprowadziłam w prawo wzdłuż domu i przez niezapominajki. Na jednym z haków przy drzwiach wejściowych odkryłam wcześniej płaski klucz ze stali szlachetnej, a że jedyne nowe drzwi to była ocynkowana furtka w ogrodzeniu przy wjeździe, teraz go wypróbowałam. Klucz gorliwie obrócił się wokół własnej osi, a potem znalazłam się już na chodniku.

Za stacją benzynową skręciłam w lewo, na drogę do śluzy. Na ciężkim rowerze Hinnerka omal nie przewróciłam się na zapiaszczonym zakręcie, w ostatniej chwili odzyskałam jednak równowagę i mocniej nadepnęłam na pedały. Sprężyny pod skórzanym siodełkiem wesoło popiskiwały, gdy asfalt powoli stawał się coraz bardziej nierówny i wkrótce zmienił się w szutrową polną drogę. Znałam tę drogę, ciągnącą się prosto jak po sznurku przez łąki, na których pasły się krowy. Znałam te brzozy, maszty telefoniczne, płoty, nie wszystkie oczywiście, było wiele nowych. Wydawało mi się też, że rozpoznaję czarno-kolorowe krowy, ale to naturalnie bzdura. Wiatr wydymał mi sukienkę, i chociaż nie miała rękawów, słońce prażyło przez czarny materiał. Pierwszy raz, odkąd tu przyjechałam, poczułam, że nie brakuje mi powietrza. Droga wciąż biegła prosto, raz trochę w dół, raz w górę. Zamknęłam oczy. Wszyscy jeździli tą drogą. Anna i Bertha w białych muślinowych sukienkach jeździły bryczką. Moja matka, ciotka Inga i ciotka Harriet na damkach marki Rixe. A Rosmarie, Mira i ja na takich samych rowerach Rixe, które straszliwie brzęczały i których siodełka były tak wysokie, że aby sobie nie zwichnąć bioder, jeździłyśmy głównie na stojąco. Ale za nic w świecie nie opuściłybyśmy tych siodełek, to była sprawa honoru. Jeździłyśmy w starych sukienkach Anny, Berthy, Christy, Ingi i Harriet. Wiatr podczas jazdy wydymał jasnoniebieski tiul, czarna organza łopotała, a słońce odbijało się w złotej satynie. Podkasywałyśmy sukienki i przypinałyśmy spinkami do bielizny, żeby nie wkręciły się w łańcuch. I boso pedałowałyśmy nad rzekę.

Nie wolno długo jechać z zamkniętymi oczami, nawet prosto. Prawie otarłam się o płot dla krów. Było już niedaleko. Widziałam już drewniany most nad śluzą. Stanęłam na górze, na moście i mocno trzymałam się poręczy, nie zdejmując stóp z pedałów. Nie było nikogo. Dwie żaglówki stały przycumowane do pomostu, a jakieś metalowe części szczękały, ocierając się o maszty. Potem zsiadłam, sprowadziłam rower z mostu, odpięłam koszyk z bagażnika, położyłam swój wehikuł w trawie i zbiegłam po zboczu. Zbocza nie prowadziły wprost do wody, tylko tworzyły po lewej i prawej stronie wąskie brzegi porośnięte sitowiem. Tam, gdzie sitowie nie rosło, rozkładałyśmy kiedyś swoje ręczniki. Ale przez minione lata brzegi tak zarosły, że wolałam usiąść na jednym z drewnianych pomostów.

Moje nogi sięgały czarnobrązowej wody. Wody pełnej torfu. Jakże biało wyglądały i obco. Żeby odwrócić uwagę od widoku własnych stóp w rzece, próbowałam odczytać nazwy łódek. Jedna nosiła napis „Sine", głupio, to było jak kawałek nazwy, jej końcówka albo początek, wrak nazwy. Drugiej nazwy nie mogłam odczytać, łódka była odwrócona w kierunku drugiego brzegu. Coś z „the" na końcu. Położyłam się na plecach i zostawiłam te obce stopy tam, gdzie były. Pachniało wodą, łąką, szlamem i środkami ochrony drewna.

Jak długo spałam? Dziesięć minut? Dziesięć sekund? Zmarzłam, wyciągnęłam stopy z wody i sięgnęłam ręką nad głową, do kosza. Poczułam jednak pod palcami nie spróchniałą wiklinową plecionkę, tylko jakąś tenisówkę. Chciałam krzyknąć, ale wydobyło się ze mnie tylko westchnienie. Natychmiast obrócić się na brzuch i usiąść! Przed moimi oczami szybowały srebrne punkciki, szumiało mi w głowie, jak gdyby tuż obok otworzyła się śluza. Słońce mieniło się, niebo było białe, białe. Byle nie zemdleć, pomost był wąski, utonęłabym.

– O Boże, przepraszam. Proszę mi wybaczyć, proszę.

Znałam ten głos. Szum nieco przycichł. Przede mną stanął ten młodszy prawnik w stroju tenisowym. Omal nie zwymiotowałam z wściekłości. Ograniczony młodszy brat Miry. Jak ona go zawsze nazywała?

– Ach, Nieudacznik! – starałam się mówić spokojnie.

– Wiem, przestraszyłem panią i bardzo mi przykro.

Jego głos był mocniejszy, usłyszałam w nim nutkę rozdrażnienia. I dobrze. Popatrzyłam na intruza. Nic nie powiedziałam.

– Nie śledziłem pani ani nic z tych rzeczy, zawsze tu

przychodzę się wykąpać. To znaczy najpierw gram w tenisa, potem pływam. Mój partner nigdy nie przychodzi ze mną nad wodę, ale ja jestem tu, na pomoście, zawsze. Zobaczyłem panią dopiero, gdy byłem na dole, potem zauważyłem, że pani śpi, i chciałem od razu sobie pójść. Wtedy chwyciła mnie pani za but. Oczywiście, nie wiedziała pani, że to moja tenisówka, ale nawet gdyby... Nie robiłbym pani wyrzutów z tego powodu, bo to ja panią przestraszyłem, a teraz...

– Mój Boże, zawsze tyle gadasz? Przed sądem też? Naprawdę masz etat w tej kancelarii?

Brat Miry roześmiał się.

– Iris Berger. Dla was zawsze byłem tylko Nieudacznikiem, i wydaje mi się, że tak zostało.

– Na to wygląda.

Pochyliłam się i chwyciłam swój kosz. Nawet jeśli brat Miry miał miły uśmiech, wciąż jeszcze byłam totalnie wściekła. Poza tym czułam głód, chciałam zostać sama i nie odzywać się. A on chciałby z pewnością rozmawiać o testamencie, o tym, co zrobić z domem, przypominać, że powinnam ubezpieczyć to, co przypadło mi w spadku. Ale ja nie chciałam już o tym rozmawiać ani nawet myśleć.

Gdy się wyprostowałam, z koszem w dłoni i nastawiona wewnętrznie na pełną pogardy przemowę, ku swojej konsternacji zobaczyłam, że brat Miry dotarł już prawie do połowy wysokości tamy. Szybko wchodził na górę. Uśmiechnęłam się.

Jego biała koszulka miała na prawym rękawie rude ślady piasku.

Po pikniku z powrotem przymocowałam kosz do bagażnika, rzuciłam spojrzenie na rzekę, śluzę, łódki. Ta druga nieco się odwróciła, ale nazwy wciąż jeszcze nie mogłam odczytać, coś z „ethe" na końcu, może Margarethe, to było dobre imię dla łódki. Wskoczyłam na rower Hinnerka i pojechałam do domu. Do mojego domu. Jak to brzmiało? Dziwnie i jakoś nieprawdziwie. Wiatr gnał strzępy dźwięku dzwonów nad łąkami, ale nie mogłam się zorientować, która jest godzina. Wyglądało na wczesne popołudnie, pierwszą lub drugą, może trochę później. Słońce, jedzenie, wściekłość i strach, a teraz jeszcze przeciwny wiatr zmęczyły mnie. Skręciłam za stacją benzynową w prawo, na chodnik, wprowadziłam rower na podjazd, nie zamknęłam bramy, wysoko podnosząc nogi, przeszłam przez niezapominajki i postawiłam rower przed kuchennymi drzwiami. Dużym kluczem otworzyłam sobie drzwi. Zgrzyt mosiądzu, jeszcze jeden zgrzyt mosiądzu i już stałam w chłodnym korytarzu. Schodek zatrzeszczał, balustrada jęknęła, pod dachem było gorąco i duszno. Rzuciłam się na łóżko swojej matki. Dlaczego pościel była świeżo zmieniona? Spod ażurowego haftu widać było poduszkę w kolorze lila. Ażur tworzył kwiatki. Ażur na poduszce. W ażurowych haftach chodziło o to, czego nie było. To cała sztuka. Gdyby ażuru było za dużo, nic by nie zostało. Ażur na poduszce, ażur w głowie.

Obudziłam się z językiem przyklejonym do podniebienia. Zataczając się, poszłam do pokoju ciotki Ingi, gdzie była umywalka. Brązowa słonawa woda wlała się gwałtownie do białej miski. Widziałam w lustrze wzór poduszki na swoim policzku, wyraźne czerwone kręgi. Nierówny strumień wody powoli się uspokoił i tylko od czasu do czasu następowała w nim krótka przerwa. Stopniowo jednak woda stawała się czystsza. Spryskałam nią twarz, zdjęłam przepocone rzeczy, sukienkę, biustonosz, majtki, wszystko, i stojąc nago w pokoju ciotki, rozkoszowałam się zimnym zielonym linoleum pod stopami. Ciotka Inga jako jedyna nie miała dywanu w swoim pokoju. U mojej matki, w pokoju prababki Käthe i u ciotki Harriet leżała twarda ruda wykładzina sizalowa, która – gdy się chodziło boso – drapała w stopy. W dużym pomieszczeniu na drewnianej podłodze leżały maty z łyka. Tylko dziewczęcy pokój, który przedtem był pakamerą, miał podłogę z desek, te jednak udusiły się pod brązową farbą olejną. Nie miały już nic do pokazania.

Weszłam do dużego pomieszczenia, otworzyłam szafę z orzecha. Wszystkie sukienki jeszcze tam wisiały, wprawdzie trochę mniej wspaniałe, niż pamiętałam, ale to niewątpliwie było tiulowe marzenie z balu na zakończenie szkoły ciotki Harriet, złota sukienka, którą moja matka miała na sobie podczas zaręczyn, i ta lekka, połyskliwa czarna – elegancka koktajlowa suknia z lat trzydziestych. Ta należała jeszcze do Berthy. Buszowałam dalej w szafie, dopóki nie natrafiłam na długą do kostek, zieloną jedwabną sukienkę, z dekoltem obszytym cekinami. Należała do ciotki Ingi. Włożyłam ją. Pachniała kurzem i lawendą, zakład u dołu był odpruty i brakowało kilku cekinów, ale tkanina układała się chłodno ma moich piersiach i była tysiąc razy przyjemniejsza niż ta czarna, w której przed chwilą spałam. Poza tym nigdy wcześniej nie byłam w tym domu tak długo jak teraz, nie zmieniając własnych ubrań na ubrania ze starych szaf. W swoich rzeczach noszonych tu przez cały dzień czułam się jak przebrana. W jedwabnej sukience Ingi wróciłam do swojego pokoju i usiadłam na plecionym krześle. Popołudniowe słońce, które migotało, przefiltrowane przez czubki drzew, zatapiało pomieszczenie w zielonym jak lipa świetle. Smugi na linoleum wydawały się falować jak woda. Wiatr wpadał przez okna i czułam się tak, jak gdybym siedziała w spokojnym nurcie zielonej rzeki.

ROZDZIAŁ III

Ciotka Inga nosiła bursztyny. Długie sznury oszlifowanych korali, w których można było dostrzec małe owady. Byłyśmy przekonane, że gdy tylko pęknie żywiczna skorupka, otrząsną skrzydełka i odlecą. Ręka Ingi tkwiła w grubej mlecznożółtej bransoletce. Ale tej morskiej biżuterii nie nosiła z powodu swojego pokoju jak z morskiej głębi i tej syreniej sukienki, tylko – jak mówiła – z przyczyn zdrowotnych. Już jako niemowlę każdego, kto ją głaskał, raziła prądem, ledwie zauważalnie, ale iskra była, i akurat nocą, kiedy Bertha karmiła ją piersią, dziecko raziło elektrycznym impulsem, który odczuwała prawie jak ugryzienie, zanim mała zaczęła ssać. Nie rozmawiała o tym z nikim, nawet z Christą, moją matką, która miała wtedy dwa lata i drgała za każdym razem, gdy dotknęła siostry.

Im Inga była starsza, tym ładunek elektryczny stawał się silniejszy. Z czasem zauważyli to również inni ludzie, ale w końcu każde dziecko miało coś, co je odróżniało od pozostałych i za co można je było wykpiwać albo podziwiać. U Ingi to były właśnie elektryczne impulsy. Hinnerk, mój dziadek, wściekał się, kiedy wskutek obecności Ingi nie dało się słuchać radia. Słychać było tylko szumy, a Inga przez to trzeszczenie i szum czasem słyszała głosy, które cicho rozmawiały albo wołały ją po imieniu. Gdy Hinnerk słuchał radia, nie wolno jej było wchodzić do salonu. Zawsze słuchał radia, kiedy znajdował się w salonie. Jeśli go tam nie było, siedział w gabinecie, gdzie nie wolno było mu przeszkadzać. W ten sposób Hinnerk i Inga w chłodniejszych porach roku widywali się tylko przy posiłkach. Latem wszyscy przebywali na dworze, Hinnerk siadywał wieczorami na tylnym tarasie albo jeździł rowerem po łąkach. Inga unikała jeżdżenia rowerem, za wiele metalu, zbyt dużo tarcia. To było raczej zajęcie dla Christy, i tak Hinnerk z tą córką jeździli w letnie wieczory i niedziele nad śluzę, nad torfowe jezioro, do kuzynek i kuzynów w sąsiednich wsiach. Inga pozostawała w pobliżu domu, prawie nie opuszczała tego kawałka ziemi i dlatego znała go najlepiej ze wszystkich.

Pani Koop, sąsiadka Berthy, opowiadała nam kiedyś, że Inga urodziła się podczas gwałtownej burzy, kiedy pioruny uderzały wokół domu, i właśnie w momencie, gdy któryś zatrząsł domem od góry do dołu, Inga przyszła na świat. Pokój rozjaśnił się jak w ciągu dnia. Inga nie wydała z siebie dźwięku, i dopiero przy kolejnym nasilającym się wyładowaniu z jej małych czerwonych usteczek wyrwał się krzyk. I od tej chwili stała się elektryczna.

– *De lüttje.* – Tak pani Koop wyjaśniała każdemu, kto tylko chciał słuchać. – Była nieuziemiona, jeszcze na wpół szybowała w innym świecie, biedny robaczek.

Mówiąc szczerze, tego „biednego robaczka" wymyśliła sobie Rosmarie. Ale pani Koop mogła tak powiedzieć, na pewno by chciała. W każdym razie nigdy nie opowiadałyśmy sobie tej historii, nie dodając na końcu „biednego robaczka". Uważałyśmy, że tak brzmi znacznie lepiej.

Christa, moja matka, odziedziczyła wysoki wzrost i długi, trochę spiczasty nos Deelwaterów. Po Lünschenach miała gęste brązowe włosy, ale jej wargi były ostro zarysowane, brwi krzaczaste, a szare oczy wąskie. Miała zbyt surową urodę, by w latach pięćdziesiątych uchodzić za piękność. Byłam podobna do niej, tylko wszystko we mnie, głowa, dłonie, tułów, nawet kolana, były bardziej krągłe niż jej. Zbyt krągłe, bym w latach dziewięćdziesiątych mogła uchodzić za piękność. A zatem i w tym względzie miałyśmy ze sobą coś wspólnego. Harriet, najmłodszą z sióstr, trudno było nazwać ładną, ale wyglądała czarująco – zawsze trochę potargana, z różowymi policzkami, kasztanowymi włosami i zdrowymi zębami, które wyrosły trochę krzywo. Jej niezgrabny chód i duże dłonie przypominały szczeniaka. Ale Inga... O, ona była piękna. Wzrostu Berthy, jeśli nie wyższa, poruszała się z wdziękiem, a w jej rysach kryła się słodycz, co nie całkiem pasowało do jałowego, piaszczystego krajobrazu północnych Niemiec. Miała ciemne włosy, ciemniejsze niż Hinnerk, oczy niebieskie jak matka, ale większe i otoczone ciemnymi, wygiętymi rzęsami. Wygięte były też jej czerwone, kpiące usta. Mówiła spokojnym, jasnym głosem, chociaż samogłoski w nim ciemniej drżały, co nawet nic niemówiący frazes potrafiło naładować obietnicą. Wszyscy mężczyźni byli w Indze zakochani. Ale trzymała ich zawsze na dystans, prawdopodobnie mniej z wyrachowania niż z troski, do jakich fizycznych reakcji mogłoby dojść, gdyby ją pocałowali, nie mówiąc już o tym, gdyby się im oddała. Wycofywała się więc, przebywała głównie w domu, słuchała płyt na wielkim gramofonie, który sklecił jej z części zamiennych pewien mądry i zdolny manualnie wielbiciel, i tańczyła sama na matowej podłodze z linoleum w swoim pokoju.

W jej regałach na książki obok kilku podręczników na temat elektryczności stały też grube, smutne romanse. Matka opowiadała nam kiedyś, że Inga najbardziej lubiła czytać starą, rozsypującą się książkę z baśniami mojej prababki Käthe, o Bursztynowej Czarodziejce. Być może Inga uważała siebie za jakąś Bursztynową Czarodziejkę, która mieszka na dnie morza i wabi ludzi w głębiny. Nosiła bursztynową biżuterię już w dzieciństwie, ponieważ w jednej z książek o elektryczności wyczytała, że *elektron* to greckie określenie bursztynu, który dobrze przyjmuje ładunek elektryczny.

Po skończeniu szkoły uczyła się fotografowania i dorobiła się w końcu własnego renomowanego atelier w Bremie. Wyspecjalizowała się w fotografowaniu drzew i roślin, tu i ówdzie organizowała wystawy i dostawała coraz więcej dużych zleceń na ozdabianie poczekalni, sal konferencyjnych i innych pomieszczeń, w których ludzie godzinami gapili się na ściany i zauważali po raz pierwszy w życiu, że pnie buków są gładkie jak kobiece nogi w jedwabnych pończochach, że nagietek stosowany zwykle leczniczo na skórę ma nasiona z loczkami, a w dodatku wygląda jak skamieniałe prastonogi, i że stare drzewa podobne są do ludzi. Inga nigdy nie wyszła za mąż. Miała teraz około pięćdziesięciu pięciu lat i była piękniejsza niż większość kobiet w wieku lat dwudziestu pięciu.

Rosmarie, Mira i ja żywiłyśmy przekonanie, że Inga miała kochanków. Ciotka Harriet zasugerowała kiedyś, że ten przyjaciel majsterkowicz od gramofonu miał wyjątkowe wyczucie w sprawach elektryczności, ale przecież wtedy Inga jeszcze mieszkała w domu, a miłostki na oczach Hinnerka byłyby dla jego córki nie do pomyślenia.

Rosmarie zadawała sobie pytanie, co się stało z wielbicielami naszej ciotki. Umarli na ostrą niewydolność serca zaraz potem, gdy mieli okazję rozkoszować się momentem największego spełnienia i błogości w życiu? Cóż za chwalebna śmierć – uważała Rosmarie. Mira była zdania, że Inga nie dopuszczała do bezpośredniego kontaktu skóry ze skórą, tylko wszystko robiła w cieniuteńkim kombinezonie z gumy.

– Oczywiście, czarnym – dodawała.

Ja powiedziałam, że robiła to chyba jak wszyscy inni, tylko że prawdopodobnie przedtem uziemiała się za pomocą kaloryfera albo czegoś podobnego.

– Czy to sprawia jej ból? – zastanawiała się Mira.

– Mamy ją zapytać?

Ale na to nie odważyła się nawet Rosmarie.

Inga fotografowała również ludzi. Ale tylko rodzinę. Właściwie wyłącznie swoją matkę. Im bardziej blakła osobowość Berthy, tym więcej jej portretów robiła Inga. W końcu fotografowała ją tylko z lampą błyskową, po pierwsze dlatego, że babka już prawie nie wychodziła ze swego pokoju w domu opieki, zapomniała, jak się chodzi, a po drugie, Inga wbrew logice miała nadzieję, że przedrze się fleszem aparatu przez mgłę, która – coraz grubsza i gęstsza – otaczała mózg Berthy. Po mojej wizycie u babki przed czterema laty ciotka Inga pokazała mi skrzynkę pełną czarno-białych portretów matki. Na zdjęciach z czterech ostatnich filmów twarz Berthy nosiła wciąż ten sam wyraz strachu – lekko otwarte usta i rozszerzone oczy z maleńkimi, odruchowo skurczonymi źrenicami. Nie dało się w nich jednak dostrzec ani zrozumienia, ani oburzenia. Bertha już niczego nie wiedziała i niczego nie chciała. Zdjęcia były podniszczone, niektóre nieostre albo poruszone, co było nieprawdopodobne w wypadku ciotki Ingi. Ostre światło zniwelowało zmarszczki na twarzy Berthy, tak że gładka i biała wyłaniała się z rozmytego tła. Tak biała jak ten stół ze sztucznego tworzywa, na którym leżała jej dłoń, i tak samo pusta. Gdy oddałam ciotce zdjęcia, jeszcze raz długo sama je przeglądała, zanim z powrotem włożyła do skrzynki. Najwyraźniej znała dokładnie każde zdjęcie i potrafiła je odróżnić od innych, bo wydawało się, że przy układaniu zachowywała określoną kolejność. Chciałam wziąć ciotkę w ramiona, ale nie dało się bez przeszkód, więc uścisnęłam tylko mocno jej dłoń obydwiema rękami, ale była bardzo zajęta sortowaniem swoich groteskowych, identycznych dla mnie portretów. Bursztynowa bransoletka głośno postukiwała przy tym o skrzynkę.

Odgłos metalicznego tarcia o stojak na rowery, a potem trzask bagażnika wdarły się z dworu przez otwarte okno. Wychyliłam się, ale gość przeszedł już za róg, żeby od frontu zadzwonić do drzwi. Czarny rower wydał mi się znajomy. Dzwonek, prawdziwy dzwonek z sercem, rozdzwonił się. Pospiesznie zbiegłam po schodach i idąc korytarzem, próbowałam dostrzec coś przez szybki obok drzwi wejściowych. To był starszy człowiek. Stanął przed okienkiem, żebym go mogła rozpoznać. Zaskoczona, otworzyłam drzwi.

– Pan Lexow!

Przyjacielski uśmiech, którym chciał mnie powitać, ustąpił wyrazowi niepewności na mój widok. Zorientowałam się, co mam na sobie, i zawstydziłam się. Z pewnością pomyślał, że jestem niemoralną wariatką, która na górze buszuje nago po szafach i jak szalona tańczy w dziwacznych kostiumach na strychu albo wręcz na dachu. To się przecież już wcześniej w rodzinie zdarzało.

– Och, proszę mi wybaczyć mój strój, panie Lexow. – Jąkając się, starałam się jakoś wytłumaczyć ten strój. – Moja sukienka okropnie się zaplamiła, a że niewiele wzięłam ze sobą na zmianę... Widzi pan, w domu jest tak duszno...

Jego przyjazny uśmiech powrócił na usta. Uspokajająco podniósł rękę.

– To sukienka pani ciotki, Ingi, nieprawdaż? Doskonale do pani pasuje. Wie pani, pomyślałem sobie, że ktoś powinien zostać w domu. A że przecież w kuchni już nic nie było, uznałem, pozwoliłem sobie... Cóż, chciałem tylko...

Teraz pan Lexow się jąkał. Odsunęłam się o krok, żeby skłonić go do wejścia, zamknęłam za nim drzwi i wzięłam od niego bawełnianą torbę, którą – gdy mówił – wyciągnął w moim kierunku. Zanim zdążyłam się zastanowić, do którego z martwych pokoi mogłabym go zaprowadzić, zapytał, czy może iść przodem, i ruszył korytarzem prosto do kuchni. Tam delikatnie wziął ode mnie torbę, wyjął z niej dużą plastikową miskę, bez namysłu otworzył jedną z dolnych szafek, sięgnął po garnek i postawił go na kuchence. Podeszłam parę kroków bliżej. Nic nie mówił, ale poruszał się po kuchni Berthy ze spokojną pewnością. No to już nie musiałam pytać brata Miry, kto pod nieobecność babki troszczył się o dom i ogród. Niezdecydowanie przenosiłam ciężar ciała z jednej nogi na drugą. Chociaż kuchnia była tak duża, najwyraźniej przeszkadzałam.

– Ach, dziecko, nie przyniosłabyś, proszę, trochę pietruszki z ogrodu?

Wręczył mi nożyce gospodarcze. Z podwórka między dwiema lipami droga prowadziła do kuchennego ogrodu Berthy. Pod płotem pięło się kapryfolium, furtka była tylko przymknięta i zaskrzypiała, gdy ją otwierałam. Pietruszka rosła zaraz za nią, poprzerastana nasturcjami – „kaparami", jak nazywały je Bertha i jej córki. Również moja matka zawsze późnym latem miała w lodówce mały kubek jasnozielonych owoców tej rośliny. Nie potrafię sobie jednak przypomnieć, żeby kiedykolwiek dodała je do jedzenia. Jak w ogóle doszło do tego, że rósł tu ten rzadki rządek pietruszki? Trzeba ją było przecież wysiać. To samo dotyczyło nastroszonych wąsów groszku i fasolki, które właśnie kwitły biało i różowo, i pomarańczowo obok krzywego rządka porów. Po ziemi, między perzem a rumiankiem, pełzały owłosione pędy ogórków, które próbowały swoimi szarawymi liśćmi odsunąć chwasty na bok albo przynajmniej zarazić je mączniakiem.

Melisa wraz z miętą królowały nad grządkami i rozrastały się pomiędzy białymi porzeczkami, zmarniałymi krzakami agrestu i jeżyn, które przez płot przedostały się do sąsiadującego z ogrodem lasku. Pan Lexow próbował zachować kuchenny ogródek Berthy, ale nie miał jej daru do przypisywania każdej roślinie właściwego miejsca i wydobywania z niej tego, co najlepsze.

Przeszłam przez ogródek, żeby obejrzeć kwiaty Berthy, które czciły pamięć mojej babki albo zaprzeczały jej rozpadowi. Na jedno wychodzi. Falująca gęstwina floksów delikatnie pachniała. Ostróżki wyciągały niebieskie lance ku wieczornemu niebu. Łubiny i nagietki wyraziście odbijały się na tle ziemi. Dzwonki kiwały kwiatami w moim kierunku. Grube, sercowate liście funkii ledwie pozwalały dostrzec ziemię, za nimi pieniły się hortensje, cały ich szereg, błękitno-różowy, różowo-błękitny. Ciemnożółte i różowoczerwone parasole krwawnika pochylały się nad ścieżkami, a gdy je odgięłam, moje dłonie zapachniały ziołami i wakacjami.

Między porzeczkami a krzakami jeżyn znajdowała się dzikszą część ogrodu. Teraz już całkiem zmieniła się w cień samej siebie. Za ogrodem zaczynał się sosnowy lasek. Ziemia tu była rdzawoczerwona i pokryta grubą warstwą opadłych igieł. Przy każdym kroku powoli, bezgłośnie uginała się i człowiek szedł tam jak zaczarowany, dopóki nie wszedł po drugiej stronie do dużego sadu. Kiedyś Rosmarie, Mira i ja porozwieszałyśmy pomiędzy drzewami stare tiulowe firanki i budowałyśmy sobie czarodziejskie domki, w których odgrywałyśmy potem długie i skomplikowane dramaty miłosne. Z początku były to tylko historie o trzech księżniczkach, uprowadzonych przez pewnego niewiernego komorzego i sprzedanych, które po latach przymusowej pracy dla swoich okrutnych opiekunów zdołały uciec i zamieszkały w lesie, gdzie szczęśliwym trafem spotkały swoich prawdziwych rodziców. Potem księżniczki wróciły do „opiekunów" i ukarały wszystkich, którzy zrobili im krzywdę. Rosmarie brała na siebie „ucieczkę", ja „ponowne spotkanie", Mira „zemstę".

Podeszłam do bramy, która prowadziła do lasku, i wpatrywałam się w ciemną zieleń. Czułam zapach żywicy i chłód. Zrobiło mi się zimno, zacisnęłam palce na nożycach i wróciłam do pietruszki. Ledwie nacięłam spory pęczek, natychmiast zaczęło pachnieć ziemią i kuchnią, chociaż karbowane listki mocno już pożółkły. Czy powinnam jeszcze naciąć lubczyku? Lepiej nie. Pomyślałam o tym popołudniu z Rosmarie i Mirą w ogrodzie. Wtedy ostatni raz rozmawiałam z Mirą.

Wstałam, weszłam do komórki, gdzie polepa była lodowata, zasunęłam za sobą rygiel i włożyłam żelazne sztaby na haki, wbiegłam schodami do kuchni i prawie zakręciło mi się w głowie od zapachu zupy jarzynowej, który się tam rozchodził. Położyłam pęczek pietruszki obok parującego garnka. Pan Lexow podziękował i spojrzał na mnie. Długo mnie nie było jak na tak małe zlecenie.

– Zaraz będzie gotowe. Nakryłem tutaj, w kuchni.

I słusznie, na kuchennym stole stał biały głęboki talerz, a obok leżała duża srebrna łyżka.

– Ale pan też musi przecież coś zjeść! Proszę, panie Lexow.

– No dobrze, kochana Iris, bardzo chętnie.

Usiedliśmy do stołu, zupa stała w garnku przed nami, drobno posiekana pietruszka leżała na drewnianej desce obok. Jedliśmy tę wspaniałą zupę, w której pływały grube kawałki marchewki i kostki ziemniaków, groszek, drobno pokrojona zielona fasolka i dużo przezroczystych krążków pora. Nagle pan Lexow drgnął. Chciał coś powiedzieć, ale zauważyłam to dopiero, gdy sama podniosłam głowę, żeby się odezwać.

– PanieLexowkochanaIris – zaczęliśmy jednocześnie.

– Pan pierwszy.

– Nie, pani, proszę.

– No dobrze. Chciałam tylko podziękować za zupę we właściwym momencie. Która to godzina? I za to, że miał pan oko na dom i troszczył się o ogród. Serdecznie dziękuję. Nie wiem, jak możemy się panu odwdzięczyć za czas i... i... i miłość, jakie pan w to włożył, i...

Pan Lexow mi przerwał:

– Niech pani posłucha. Chcę pani powiedzieć coś, o czym wie niewiele osób, ściślej mówiąc, jeszcze tylko dwie, trzecią wczoraj pochowaliśmy, ale czy ona jeszcze zdawała sobie z tego sprawę? Widzi pani... Cóż, ponieważ mówi pani o miłości, a więc gdy mi pani otworzyła w tej sukience, to mi...

– Przepraszam, widzę, jakim nietaktem musiało się to panu wydać, ale ja...

– Nie, nie! A więc gdy pani otworzyła, pomyślałem... Widzi pani, pani ciotka Inga, a więc Inga i ja...

– Kocha ją pan? Jest przepiękna.

Pan Lexow zmarszczył czoło.

– Tak. Nie, nie tak, jak pani pewnie myśli. Kocham ją jak... jak... ojciec.

– Tak, oczywiście. Rozumiem.

– Nie, widzę, że pani nie rozumie. Kocham ją jak ojciec, bo nim jestem.

– Ojcem.

– Tak. Nie. Jej ojcem. Jestem ojcem Ingi. Kochałem Berthę. Zawsze, do końca. To był dla mnie zaszczyt, wina, to był mój obowiązek doglądanie jej domu. Proszę mi nie dziękować, to mnie zawstydza, to była najmniejsza rzecz, jaką mogłem dla niej zrobić. Myślę, że po wszystkim...

Na czole pana Lexowa pojawiły się kropelki potu. Prawie płakał. Ja przestałam jeść. Ojciec Ingi. To by mi nie przyszło do głowy. Właściwie dlaczego nie? Czy Inga o tym wie-działa?

— Inga wie, napisałem jej, gdy Bertha poszła do domu opieki. Zaproponowałem, że będę pilnował porządku aż do... to znaczy tak długo, jak Bertha będzie w domu opieki.

Pan Lexow uspokoił się, jego głos stał się mocniejszy. Wstałam, poszłam do sypialni dziadków, skąd przyniosłam sobie parę wełnianych skarpet Hinnerka i szarobrązowy sweter Berthy, który wyjęłam z dębowej szafy. Usiadłam na stołku przed toaletką, żeby włożyć skarpetki. Bertha jako niewierna żona? Podreptałam z powrotem do kuchni. Zupy już nie było na stole. Teraz stały na nim dwa kubki. Pan Lexow, ojciec mojej ciotki, zatem ktoś w rodzaju ciotecznego dziadka, mieszał w małym garnuszku stojącym na kuchni. Usiadłam na swoim krześle i podciągnęłam stopy na siedze-nie. Chwilę potem w kubkach parowało mleko. Pan Lexow z powrotem usiadł i w krótkich słowach opowiedział mi, co się zdarzyło.

Rozdział IV

Carsten Lexow przyjechał do Bootshaven jako młody nauczyciel. Miał dopiero dwadzieścia lat i pochodził z Geeste, wsi w pobliżu Bremy. Szkoła w Bootshaven była jedną dużą klasą, w której zbierały się wszystkie dzieci podlegające obowiązkowi szkolnemu. Jeden jedyny nauczyciel uczył wszystkiego i wszystkich jednocześnie. Tylko raz w roku, tydzień po zakończeniu wakacji, pojawiał się tam pastor i witał nowych konfirmantów.

Ojciec Carstena handlował pasmanterią, a cztery lata przed przeprowadzką Carstena do Bootshaven umarł wskutek obrażeń wojennych. Francuska kula przemieszczała się w jego ciele prawie przez osiem lat, zanim w końcu pewnego dnia w płucach zakończyła swoją wędrówkę, a tym samym i życie drobnego kupca pasmanteryjnego Carstena Lexowa seniora. Ojciec był milczącym mężczyzną, który spędzał większość czasu w swoim sklepie i dla swojej rodziny był niemal obcym człowiekiem. Matka Carstena składała to na karb wędrującej kuli, która nie pozwoliła mężowi tak naprawdę wrócić do domu, ale prawdopodobnie taki miał po prostu charakter. Wszystko w nim było drobne, nie tylko towar, którym handlował, krótkie były też jego nogi, nos, włosy, podobnie jak wypowiadane przez niego zdania oraz cierpliwość. Długa była tylko droga, którą przebyła kula w jego krępym ciele, ale gdy w końcu dotarła do swego celu, umieranie Lexowa – tak jak życie – było krótkie.

Pasmanterię prowadziła teraz wdowa. Carsten czasem pomagał przy księgach. Nie miał rodzeństwa, ale młodszy brat matki, wyższy urzędnik pocztowy i kawaler, zadeklarował, że jest gotowy wspomóc siostrę i siostrzeńca. Ponieważ Carsten nie wykazywał skłonności do sprzedaży nici i gumki do kapeluszy, wdowa zgodziła się posłać go do Bremy do szkoły nauczycielskiej. Tam Carsten spędził dwa lata, dopóki nie dostał posady w Bootshaven, chociaż się o nią nie ubiegał.

Poprzedni nauczyciel zmarł na udar, w samym środku lekcji, ale ponieważ miał zwyczaj podczas zajęć ucinać sobie drzemkę, żadne z dzieci nie zwróciło uwagi na to, że zapadł się w sobie. Jak zwykle, kiedy zasypiał, czternaścioro uczniów po południowym dzwonku opuściło salę, cichutko chichocząc. Zapomnieli o nauczycielu do chwili, gdy następnego ranka zobaczyli go przy pulpicie śpiącego w tej samej pozycji co poprzedniego dnia. To, że szkoła i klasa nie były zamknięte, nie dziwiło nikogo, wszak stary nauczyciel zawsze był roztargniony. Ale w końcu najstarszy uczeń, Nikolaus Koop, zebrał się na odwagę i zagadał do tego drobnego, bladego człowieka, którego głowa tak nisko opadła na pierś, że widać było tylko jej czubek. Gdy ten nie odpowiadał, Nikolaus podszedł bliżej i dokładniej przyjrzał się nauczycielowi. Koopowie byli rolnikami, jak prawie wszyscy mieszkańcy wioski. Nikolaus Koop często pomagał przy uboju i widział raz krowę, która zdechła przy porodzie. Kilka razy zamrugał oczami, odwrócił się do dzieci i powiedział spokojnym głosem, z przerwami pomiędzy wyrazami, że dziś chyba nie będzie lekcji, tak że wszyscy powinni pójść do domu. Chociaż Nikolaus był nieśmiałym chłopcem, którego podczas gry w dwa ognie często zbijano jako pierwszego, i chociaż – mimo że najstarszy w klasie – nie był jej przywódcą, uczniowie posłusznie wyszli. Również Anna Deelwater i jej młodsza siostra Bertha opuściły wraz z innymi uczniami budynek szkoły. Ich podwórko znajdowało się obok podwórka Koopów i ci troje zazwyczaj razem chodzili do szkoły i wracali z niej. Ale tego dnia dziewczynki szły do domu tylko we dwie, w milczeniu, ze spuszczonymi głowami. Nikolaus Koop zadzwonił do drzwi plebanii, która mieściła się obok szkoły, i poinformował pastora o sytuacji. Ten siedział za biurkiem i kartkował gazetę. Jeszcze tego samego dnia napisał do swojego przyjaciela, pastora z Geeste, i trzy dni później do Bootshaven jako nowy nauczyciel przyjechał Carsten Lexow. Akurat zdążył na pogrzeb swojego poprzednika, co było dla wszystkich dogodne. Ludzie we wsi cieszyli się, że mogą natychmiast wziąć nowego nauczyciela pod lupę. A Carsten uważał się za szczęśliwca, bo miał na sobie czarny garnitur, uszyty jeszcze na pogrzeb ojca. Poza tym pogrzeb stanowił dobrą okazję, żeby się od razu wszystkim przedstawić, zanim jeszcze mieszkańcy wsi zdążyli wymyślić różne historie na jego temat. Oczywiście, historie wymyślano mimo to, ponieważ Carsten Lexow był wysoki i szczupły, miał ciemne włosy, które z trudem i tylko dzięki równemu przedziałkowi z boku mógł utrzymać w ładzie. Oczy miał niebieskie, ale Anna Deelwater odkryła pewnego dnia, gdy spojrzał znad jej zeszytu, nad którym pochylił się podczas lekcji, że jego źrenice otoczone są złotymi pierścieniami, i od tej chwili aż do końca życia, który miał nastąpić niedługo, te pierścienie przykuły ją jak kajdany.

Istnieje tylko jedna fotografia Anny Deelwater, najstarszej córki Käthe, właściwie Kathariny, i Carla Deelwaterów, ale jest kilka jej odbitek. Jedną ma moja matka, jedna wisi u ciotki Ingi, Rosmarie swoją przykleiła taśmą przezroczystą w szafie na ubrania. Ciotka Anna – tak nazywały ją moje ciotki i matka, gdy o niej mówiły. Ciotka Anna była ciemnowłosa jak jej ojciec. Na zdjęciu wygląda, jakby miała też ciemne oczy, ale ciotka Inga była zdania, że to skutek niewłaściwego oświetlenia. Mogliśmy z pewnością powiedzieć, że miała podłużne szare oczy i szerokie brwi, które tworzyły łuk, a nie kreskę. Te brwi zdominowały twarz Anny i nadawały jej trochę zamknięty, a jednocześnie dziki wyraz. Była niższa od swojej siostry, ale nie tak chuda. Bertha, długonoga, jasna i wesoła, z wyglądu i charakteru wydawała się wprawdzie przeciwieństwem siostry, ale obydwie były nieśmiałe, prawie płochliwe, i kompletnie nierozłączne. Szeptały i chichotały tak samo jak inne dziewczęta w ich wieku, ale zawsze tylko we własnym towarzystwie. Niektórzy uważali je za zarozumiałe, bo Carl Deelwater posiadał najwięcej łąk i największe gospodarstwo w Bootshaven. Poza tym opłacał w kościele, w pierwszym rzędzie, dla siebie i rodziny ławkę, na której wyryte było jego nazwisko. Nie dlatego, że cechowała go szczególna pobożność. Rzadko chodził do kościoła, ale kiedy już to robił, w najważniejsze święta, takie jak Wielkanoc, Boże Narodzenie czy uroczystość z okazji dożynek, siedział z przodu we własnej ławce, z własną żoną i córkami, i pozwalał się gapić na siebie małej społeczności. Podczas wielu niedziel w roku, w które nie przychodził do kościoła, ławka pozostawała pusta i również się na nią gapiono. Anna i Bertha były dumne z pięknego gospodarstwa rodziców i ze swego cudownego tatusia, który troszczył się o swoje dziedzictwo w postaci gospodarstwa, nigdy jednak nie narzekał na pracę dla córek i żony, tylko w miarę możliwości starał się rozpieszczać swoje „trzy dziewczyny".

Obydwie córki musiały pomagać w obejściu, pełniąc rolę podręcznych matki. Pomagały też w kuchni służącej Agnes, zwanej dziewką, która przychodziła co dnia i nie była żadną dziewką, tylko stateczną kobietą z trójką dorosłych synów.

Pasteryzowały wraz z Agnes sok i skubały kury. Ale najchętniej i najczęściej pracowały w ogrodzie.

Od końca sierpnia zajmowały się już tylko jabłoniami.

Jasne papierówki dojrzewały pierwsze, smakowały cytryną, a gdy się już je nadgryzło, nie dało się ich zjeść tak szybko, żeby nie zdążyły zbrązowieć w środku. Tych się nie gotowało, ich aromat umykał jak sierpniowy wiatr, w którym dojrzały. Potem powoli dojrzewały koksy pomarańczowe, najpierw na tym dużym drzewie, rosnącym koło domu, ogrzewane przez czerwoną klinkierową cegłę, która w ciągu dnia magazynowała ciepło, tak że owoce tego drzewa zawsze były większe i słodsze i wcześniej dojrzewały niż na innych jabłoniach. Od października dojrzałe były już wszystkie. Anna i Bertha poruszały się po drzewach prawie tak sprawnie jak po ziemi. Przed laty pewien stajenny przybił im kilka desek do obficie obsypanego owocami drzewa odmiany boskop, żeby mogły stawiać tam kosze. Ale dziewczyny wolały same na nich siedzieć. Czytały tam książki, piły sok, jadły jabłka i maślane ciasto, które Agnes przynosiła. Kiedy przychodził jeden z jej synów, on też dostawał duży kawałek ciasta. W ten sposób mogła powiedzieć, że to Bertha i Anna zjadły ciasto, gdyby ktoś ją zapytał, dlaczego z dwóch blach ciasta została tylko jedna. Ale nikt nie pytał.

Pan Lexow nie opowiadał mi, oczywiście, o maślanym cieście Agnes. Nie sądziłam nawet, że mógłby wiedzieć o istnieniu Agnes. Siedziałam przy kuchennym stole w domu Berthy i widziałam swoją babkę jako dziecko i swoją cioteczną babkę Annę, która nigdy nie spoglądała inaczej niż na jedynej fotografii. Przy kubku letniego mleka przypominałam sobie rzeczy, które Bertha opowiadała mojej matce, a ona mnie, historie, które ciotka Harriet opowiadała Rosmarie, a Rosmarie mnie i Mirze, opowieści, które same wymyśliłyśmy albo co najmniej podkoloryzowały. Kilka razy również pani Koop opowiadała nam, jak jej mąż w dzieciństwie znalazł martwego nauczyciela w klasie. Chłopiec z sąsiedztwa, Nikolaus Koop, wyrósł na dobrodusznego, pracowitego chłopa, który czuł wielki respekt przed swoją żoną. Jego oczy z zaćmą za grubymi szkłami okularów zaczynały nerwowo mrugać, gdy tylko słyszał jej głos. Drżały jak skrzydła makolągwy, która kiedyś przez nieuwagę wleciała przez otwarte okno salonu domu Deelwaterów i nie potrafiła się wydostać. Ciotka Harriet kazała nam otworzyć wszystkie okna, żeby ptaszek nie złamał sobie karku na szybie. Ptak wyfrunął, a na parapecie zostały dwa czerwone piórka.

Nikolaus Koop często mrugał i zauważyłyśmy, że za każdym razem, gdy patrzył na żonę, miał zwyczaj przesuwać okulary na czoło. Mira sądziła, że poprzez ślepotę, o którą sam się przyprawiał, próbuje uciec swojej żonie, że to taka sama droga ucieczki, jak na przykład otwarte okno. Ale Rosmarie uważała, że on się boi, w odróżnieniu od makolągwy, skręcić kark, nie sobie, tylko swojej żonie. Wtedy nie mogłyśmy wiedzieć, że to Rosmarie ma sobie skręcić kark, i to podczas lotu przez szklaną szybę.

To i owo sama sobie dośpiewałam do opowieści pana Lexowa, kiedy patrzyłam w jego niebieskie oczy i odkryłam już nie złote, a raczej w kolorze ochry pierścienie wokół jego źrenic. Białko oczu było żółtawe. Musiał mieć dobrze ponad osiemdziesiąt lat. A w ogóle kim był teraz dla mnie? Ciotecznym dziadkiem? Nie. Jako ojciec mojej ciotki był moim dziadkiem. Ale przecież nie on nim był, tylko Hinnerk Lünschen. Był więc przyjacielem rodziny, świadkiem. Kilka lat temu, kiedy babka już nie wiedziała, że istnieje, moja matka pojechała do niej na dwa tygodnie. To była jej ostatnia wizyta przed przeprowadzką Berthy do domu opieki. Pewnego cieplejszego popołudnia siedziały obydwie w sadzie. Bertha spojrzała nagle na córkę tak trzeźwo i przenikliwie, jak jej się już od dawna nie zdarzało, i oświadczyła mocnym głosem, że Anna uwielbiała jabłka boskop, a ona sama koksy pomarańczowe. Jak gdyby to była ostatnia tajemnica, którą miała do wyjawienia.

Anna uwielbiała boskopy, Bertha – koksy pomarańczowe. Jesienią włosy sióstr pachniały jabłkami, w każdym razie na pewno pachniały nimi ich ubrania i dłonie. Gotowały przecier jabłkowy i moszcz, robiły galaretkę z jabłek z cynamonem, i zwykle nosiły jabłka w kieszeniach fartuchów, a nadgryzione trzymały w dłoniach. Bertha najpierw szybko zjadała szeroki pas wokół brzuszka owocu, potem ostrożnie obgryzała je wokół kwiatu u dołu, a później u góry wokół ogonka, ogryzek odrzucała szerokim łukiem. Anna jadła powoli i z rozkoszą, od dołu do góry – wszystko. Pestki żuła godzinami. Gdy Bertha jej przypominała, że pestki są w środku trujące, Anna odpowiadała, że przecież smakują jak marcepan. Wypluwała tylko ogonek. Opowiadała mi o tym Bertha, gdy kiedyś uznała, że jem jabłka tak jak ona. Ale przecież większość ludzi tak je jabłka.

Latem Carsten Lexow dawał swoim uczniom dzień wolnego z powodu upałów, na zbieranie jagód – jak to nazywał. Bertha się roześmiała i powiedziała, że tę lekcję czytania lubi najbardziej. Carsten Lexow zauważył małe białe zęby swojej uczennicy i nerwową lekkość jej dużej dłoni, która próbowała włosy z karku wsunąć sobie z powrotem w warkocze. Ponieważ nauczyciel wciąż na nią patrzył i ponieważ swoją przemądrzałą uwagą być może go rozzłościła, poczerwieniała, odwróciła się i sztywno odeszła. Pan Lexow z bijącym sercem patrzył za nią i nic nie mówił. Anna wszystko zauważyła, rozpoznała spojrzenie, którym Lexow odprowadzał jej siostrę, rozpoznała je tak, jak się rozpoznaje własną twarz w lustrze, i z czerwonymi policzkami oraz ze spuszczoną głową podążyła za Berthą.

Anna kochała Lexowa, Lexow kochał Berthę, a Bertha? Ona tak naprawdę kochała Heinricha Lünschena, Hinnerka, jak go wszyscy nazywali. Był synem wiejskiego karczmarza, Nikim bez ziemi. Jego rodzina posiadała na skraju wsi tylko dwie małe łąki, które dzierżawił od nich jeszcze biedniejszy nieborak. Hinnerk nienawidził karczmy swoich rodziców. Nienawidził zapachu kuchni i odstałego piwa rankiem w szynku. Nienawidził namiętnych i głośnych kłótni rodziców, nienawidził ich równie namiętnych i głośnych pojednań. Jeden z jego młodszych braci, on sam był najstarszy, powiedział kiedyś, gdy obaj, siedząc w ciemnej kuchni, musieli przysłuchiwać się jakiejś wyjątkowo gwałtownej rozprawie, że chyba wkrótce znów będą mieli nowego braciszka. Hinnerk zakipiał z wściekłości, nienawidził licznych ciąż matki.
– Skąd wiesz?
– No, zawsze gdy się kłócą, zaraz znów mamy braciszka.
Hinnerk roześmiał się zimno. Musiał stąd uciec. Nienawidził tego wszystkiego.

Wpadł w oko panu Deelwaterowi, ponieważ pastor i stary nauczyciel chwalili jego rozsądek ponad wszelką miarę. Hinnerk był mądrzejszy niż wszyscy we wsi. Sam bardzo dobrze to wiedział, a jeszcze kilku, którzy też głupi nie byli, również to zauważyło. Hinnerk często bywał u Deelwaterów. Podczas żniw pomagał im, za co dostawał trochę pieniędzy. Ale jeszcze więcej pieniędzy dostał od pastora, co jednak tego bardzo ambitnego chłopaka skłoniło tylko do tego, by kiedyś również jego znienawidzić, i przy pierwszej nadarzającej się okazji, mianowicie pogrzebie swojej matki, wystąpić z kościoła. W ten sposób można było sobie zaoszczędzić kosztów za kazanie, każdy inny mógł to zrobić równie dobrze, przecież kazania były zawsze takie same, tylko pastor wstawiał odpowiednie nazwisko, a to nie był wszak skomplikowany wyczyn. Pastor, który włożył wiele pieniędzy w studia Hinnerka, pastor, którego biblioteka – co prawda niezbyt bogata – zawsze była do dyspozycji chłopca, czuł się głęboko zasmucony, nie tylko z powodu niewdzięczności Hinnerka, lecz także dlatego, że ów zanadto zbliżył się do prawdy. Ale obydwa prawnicze egzaminy zostały już przez Hinnerka zdane brawurowo, a młody człowiek, dopiero co zaręczony z córką Deelwaterów, już nie był zależny finansowo od pastora. Pastor to wiedział i wiedział też, że Hinnerk wiedział, że on to wiedział, i to najbardziej go złościło.

Pamiętałam Hinnerka Lünschena jako czułego dziadka, który miał dar zasypiania wszędzie, gdzie się położył, i robił z tego daru użytek. Pewnie, jego humory bywały nieobliczalne. Ale nie był już opanowanym nienawiścią chłopcem, tylko dumnym notariuszem, dumnym posiadaczem kancelarii, dumnym mężem pięknej kobiety, a tym samym dumnym właścicielem dumnej posiadłości, dumnym ojcem trzech pięknych córek i jeszcze piękniejszych wnuczek, jak zawsze zapewniał Rosmarie i mnie, nakładając nam na kryształowe talerzyki dumną porcję lodów podobnych do neapolitańskich lodów w trzech smakach. Wszystko się odwróciło – teraz jego, Hinnerka, wielu nienawidziło, ale on sam już nie nienawidził, w końcu osiągnął wszystko, co chciał. I wciąż jeszcze był najmądrzejszym mężczyzną we wsi, co wszyscy wiedzieli.

Kazał sobie namalować herb rodzinny, żeby jego niskie pochodzenie poszło w zapomnienie, co oczywiście nie miało sensu, bo ludzie przychodzili do niego dlatego, że rozmawiał z nimi w lokalnej gwarze, a nie z powodu jego pochodzenia z wyższych sfer. Oprawiony herb pozostał więc w rupieciarni, dawniejszym pokoju dziewcząt, gdzie wisiał do dziś. Ale przypominam też sobie, że na widok herbu ostro zarysowane wargi Hinnerka drgały tajonym uśmieszkiem – satysfakcji czy autoironii? On sam chyba tego nie wiedział.

Bertha kochała Hinnerka. Kochała jego mroczną aurę, jego milczenie i jego kąśliwe uwagi w stosunku do ludzi. Zawsze jednak, kiedy spotykał Annę lub ją, jego twarz się rozjaśniała, uśmiechał się uprzejmie i żartował. Potrafił też bez przygotowania ułożyć sonet o resztce jabłka, którą Anna chciała właśnie włożyć do ust, odśpiewać uroczystą odę na cześć lewego warkocza Berthy albo chodzić po podwórzu na rękach, aż przerażone kury uciekały z gdakaniem. Obydwie dziewczyny głośno się śmiały, Bertha, zakłopotana, skubała kokardę lewego warkocza, a Anna z udawaną obojętnością i skrywanym uśmiechem, rezygnując ze zjedzenia go, wyrzucała ogryzek jabłka w bez.

Hinnerk chciał Anny. Wiedział oczywiście, że jest najstarszą córką Carla Deelwatera. Gdyby tak nie było, pewnie by jej nie chciał, w każdym razie nie aż tak. Ale to nie dziedzictwo go kusiło. W każdym razie nie tylko. O wiele bardziej podziwiał status tej dziewczyny, jej spokojną pewność siebie, której jemu kompletnie brakowało. Widział też oczywiście jej urodę, ciało z pełnymi piersiami i biodrami. giętkie plecy. Serdeczna obojętność, którą Anna mu okazywała, podniecała go, ale wciąż uważał, by obydwu dziewczętom poświęcać tyle samo uwagi. Z wyrachowania czy szacunku? Z sympatii do Berthy czy ze współczucia dla młodszej z sióstr, z której uczuć musiał sobie zdawać sprawę?

*

Moja babka wiedziała, że dla Hinnerka była tylko drugim gatunkiem. Kiedyś powiedziała to mnie i Rosmarie, bez goryczy, nawet bez ubolewania, bardzo rzeczowo, jak gdyby tak musiało być. Nie chciałyśmy tego słuchać, byłyśmy prawie złe na Berthę. Miłość nie mogła taka być, tak uważałyśmy. I nie umawiając się, nigdy nie powiedziałyśmy tego Mirze.

Teraz, ponieważ Inga już nie była córką Hinnerka, łatwiej mi było zrozumieć brak goryczy Berthy, być może też jej przywiązanie. Poza tym zdarzało jej się zawsze to, co się jej zdarzało. Gdzie jabłko spadnie, tam leży, a najczęściej spadały przecież, jak sama chętnie mawiała, niedaleko od jabłoni. Gdy Bertha w końcu w wieku sześćdziesięciu trzech lat spadła z jabłoni, a zaraz potem oddzieliły się od niej jedne wspomnienia po drugich i odpadły, poddała się rozpadowi smutno i bez walki. Zmiany losu zawsze zaczynały się – również w naszej rodzinie – od upadku. I od jabłka.

Pan Lexow mówił spokojnie, patrząc w swój kubek. Tymczasem ściemniło się i włączyliśmy lampę ze słomianym abażurem, wiszącą nad kuchennym stołem. Pewnej nocy – powiedział pan Lexow i westchnął wprost w swoje mleko – po tym, gdy przez cały dzień było bardzo ciepło i duszno, poszedł na spacer, podczas którego zupełnie przypadkowo nogi zaniosły go pod dom Deelwaterów.

Dom tonął w ciemności. Pan Lexow wszedł powoli na podjazd, posuwał się wzdłuż domu i szopy do sadu. Nagle zrobiło mu się głupio, że się tak tu snuje, i postanowił po prostu przejść na tyły, by tam wyjść przez płot na łąkę, a potem na przełaj wrócić na drogę do śluzy. Gdy był pod jabłoniami, gęsto porośniętymi liśćmi, krzyknął. Coś twardego trafiło go w głowę tuż nad lewym okiem. Nie kamień, aż tak twarde to nie było, ale wilgotne, i pękło przy zderzeniu z jego skronią.

Jabłko.

A raczej resztka jabłka. Brakowało kwiatu i dolnej części miąższu, górna połowa z ogonkiem leżała pęknięta na dwoje przed jego butami. Lexow stanął, jego oddech przyspieszył i urywał się. Na drzewie słychać było szelest. Z wysiłkiem wpatrywał się w górę, ale było zbyt ciemno, by ujrzeć coś poza liśćmi. Carsten przeczuwał więc raczej coś dużego, białego, co wydawało się przebłyskiwać na górze. Znów rozległ się szelest, a gałęzie zadrżały. Gdy dziewczyna zeskoczyła z drzewa z głośnym klapnięciem, Carsten nie mógł rozpoznać twarzy, tak blisko przed nim stała ta osoba. Twarz dziewczyny zbliżyła się jeszcze bardziej i pocałowała Carstena w usta. Zamknął oczy, usta były ciepłe i smakowały jabłkami. Boskopami. I gorzkimi migdałami. Nigdy nie mógł zapomnieć tego smaku. Zanim zdążył cokolwiek powiedzieć, usta dziewczyny jeszcze raz pocałowały jego usta, i on je pocałował, po czym osunęli się na trawę pod jabłonią i bez tchu, niewprawnymi palcami, zdejmowali z siebie nawzajem ubrania. Drzewna nimfa miała na sobie tylko nocną koszulę, nie było więc trudno ją z niej uwolnić, ale jeśli dwoje ludzi próbuje się rozebrać, nawzajem się rozebrać, ale też przy tym całować i nawet na chwilę nie wypuścić drugiego z objęć, to nie jest łatwe, zwłaszcza jeśli oboje nie mają wprawy w tym, co robią. Ale robili to, i robili jeszcze o wiele więcej, i ziemia płonęła wokół nich, tak że jabłoń, pod którą leżeli, chociaż był już czerwiec, zaczęła po raz drugi wypuszczać pąki.

Pan Lexow nie opowiadał oczywiście o szczegółach pieszczot pod jabłonią, i byłam z tego zadowolona, ale jego ciche, a jednak z mocą wypowiadane słowa – oczy miał wciąż jeszcze wbite w kubek – wywoływały we mnie obrazy, które wydawały mi się znane, jak gdyby ktoś je wcześniej opowiedział, jak gdybym słyszała je w dzieciństwie, może w jakiejś rozmowie dorosłych, podsłuchanej z ukrycia i dopiero teraz pojętej. Tak historia Carstena Lexowa stała się częścią mojej własnej historii i częścią mojej historii na temat historii mojej babki i częścią mojej historii o historii mojej babki poprzez historię ciotki Anny.

Czy Carsten Lexow w którymś momencie głośno wypowiedział imię Berthy, a kobieta uwolniła się z jego ramion i uciekła, czy pieszcząc jej pełne piersi, zauważył swą pomyłkę i odszedł, czy też oboje do końca zachowywali się tak, jakby nie wiedzieli, co wie to drugie, a potem po prostu rozeszli się w milczeniu, żeby się nigdy nie odnaleźć, nie wiedziałam i chyba też nigdy się już nie dowiem. To, co opowiadano sobie we wsi i co Rosmarie, ja i Mira często słyszałyśmy, to była historia starej jabłoni z gatunku boskop w sadzie Deelwaterów, która pewnej ciepłej letniej nocy zaczęła kwitnąć i następnego ranka pobielała jak od mrozu. Ale te cudowne kwiaty nie miały mocy i jeszcze tego samego przedpołudnia cicho i dużymi płatkami opadły na ziemię. Całe gospodarstwo stało z czcią, nieufnością, uszczęśliwieniem albo po prostu zdziwieniem wokół drzewa. Jedynie Anna Deelwater go nie widziała, przeziębiła się, czuła lekkie pieczenie w gardle i musiała zostać w łóżku. Została więc w łóżku, pożar przypalał delikatne rzęski jej oskrzeli i rozprzestrzeniał się, aż rozpalił skrzydła jej płuc, które w końcu sparaliżował. Carsten Lexow nigdy więcej jej nie widział, a cztery tygodnie po rozkwitnięciu jabłoni już nie żyła. Tragiczny przypadek zapalenia płuc.

Pan Lexow spojrzał na zegarek i zapytał, czy powinien już iść. Nie wiedziałam, która godzina, ale też nie wiedziałam, co się działo dalej. W końcu w jego własnej historii z Berthą nie posunęliśmy się ani o krok. Ale może jednak powinien pójść? Zauważył moją niepewność i natychmiast wstał.

– Proszę, panie Lexow, jeszcze nie skończyliśmy.

– Nie, nie skończyliśmy, ale może dość na dziś?

– Być może. Na dziś wieczór. Przyjdzie pan znów jutro wieczorem?

– Nie, jutro jest zebranie rady gminy, na którym muszę być.

– Kawa jutro po południu?

– Bardzo dziękuję.

– Dziękuję za zupę. I mleko. I za dom, ogród...

– Nie ma za co dziękować, proszę pani, Iris. Wie pani, że to ja mam za co dziękować i przepraszać.

– Mnie pan z całą pewnością nie ma za co przepraszać. Bo i za co? Za to, że kochał pan moją babkę aż do jej śmierci albo za śmierć mojej ciotecznej babki Anny? Niech pan da spokój.

– Nie, nie, za to nie muszę pani przepraszać – powiedział i spojrzał na mnie przyjaźnie. Mogłam zrozumieć, dlaczego moja cioteczna babka Anna straciła dla niego głowę. – Tylko za to, że nikt w pani rodzinie nie wiedział, że mam drugi klucz, nawet pani ciotka Inga. Myślała, że tylko od czasu do czasu rozglądam się wokół domu.

Pogrzebał w kieszeni spodni i po raz drugi wciśnięto mi w dłoń olbrzymi mosiężny klucz do domu. Najwyraźniej pan Lexow posiadał zapasowy klucz do wielu rzeczy, pomyślałam, gdy kładłam ciepły metal na kuchennym stole.

Odprowadziłam starego nauczyciela i kochanka mojej ciotecznej babki do drzwi.

– Czyli jutro na kawie? – upewniłam się.

Skinął głową i nieco ociężale zszedł po schodach, na chwilę zniknął za różami, po czym skręcił w prawo, do swojego roweru, odstawionego na podjeździe przy ścianie domu. Słyszałam, jak podpórka roweru trze o płyty, chwilę potem cichy śpiew dynama, gdy za krzakiem przejeżdżał po chodniku. Zdjęłam skarpetki, wzięłam klucz z haka i wyszłam, żeby zamknąć furtkę.

Szłam na drugą stronę, do ogrodu, w którym teraz w ciemności zalegającej w kątach jaśniał duch Berthy. Jej ogród tymczasem też stał się jedną z tych groteskowych wełnianych robótek, które moja matka przechowywała w szafie: ziejące dziury, wybujały gąszcz i gdzieniegdzie cień jakiegoś porządku.

Anna uwielbiała jabłka boskop, Bertha – koksy pomarańczowe.

Co Bertha chciała wtedy powiedzieć mojej matce? Co sobie przypomniała i dlaczego pozwoliła temu popaść w zapomnienie? To, co zapomniane, nigdy nie pozostaje bez śladu, zawsze potajemnie kieruje uwagę na siebie i swoją kryjówkę. Pocałunek dziewczyny smakował boskopami – powiedział pan Lexow.

Gdy Bertha miesiąc po letnim cudzie zakwitnięcia jabłoni szła, płacząc, przez ogród, zobaczyła, że czerwone porzeczki pobielały. Czarne pozostały czarne. Wszystkie inne były zielonkawoszarobiałe jak popiół. Tego roku było wiele łez i wyjątkowo dobra galaretka z porzeczek.

Rozdział v

W nocy się obudziłam, bo zmarzłam. Obydwa okna i obydwoje drzwi do pokoju Christy zostawiłam otwarte i teraz wiał przez nie chłodny nocny wiatr. Podciągnęłam kołdrę wysoko i pomyślałam o swojej matce. Uwielbiała chłód. W Badenii lata były tak upalne, że matka nie tylko miała wszelkie powody, by zainstalować klimatyzację, lecz by rozkręcać ją na cały regulator. Piła wszystkie napoje z kostkami lodu i co kilka godzin przynosiła sobie z zamrażarki, która stała w piwnicy, małą szklaną miseczkę lodów waniliowych.

Ale zimą zalane żwirownie, zalewy, kanały i stare koryta Renu zamarzały szybciej niż jeziora tu, na górze, na deszczowej północnoniemieckiej równinie.

A wtedy jeździła na łyżwach.

Jeździła na łyżwach jak nikt inny. Nie odznaczała się specjalną gracją, nie tańczyła, nie, ona fruwęła, pędziła jak płomień na lodzie. Dziadek wcześnie kupił jej parę białych łyżew z butami. Był dumny z własnych umiejętności łyżwiarskich, które jednak ograniczały się do płynnej jazdy w przód i falami w tył. Potrafił też zataczać duże kręgi, krzyżując nogi. Ale tego, co robiła na lodzie jego córka

Christa, nie on ją nauczył. Kręciła ósemki, przy czym ręce miała oparte na biodrach, i balansowała ciałem w zakrętach. Brała rozpęd i skakała jak dzika pięć albo siedem razy z kolanami podciągniętymi wysoko w górę. Przy każdym skoku robiła pół obrotu i pędziła raz w przód, raz w tył po lśniącej powierzchni. Albo kręciła kółka na jednej nodze, z dłońmi w rękawiczkach wyciągniętymi wysoko w zimowe niebo, a jej warkocze podskakiwały. Hinnerk z początku zadawał sobie pytanie, czy może tolerować taki sposób jazdy na łyżwach. Ludzie się gapili, bo przecież to rzucało się w oczy. Ale w końcu uznał, że ludzkie gadanie to skutek zazdrości, i postanowił cieszyć się swoją córką i jej dziwnym sposobem poruszania się na lodzie. Zwłaszcza że poza tym była bardzo grzeczna, łagodna, troskliwa i zawsze starała się sprawić przyjemność Hinnerkowi, swojemu kochanemu ojcu.

Mojego ojca poznała na zamarzniętej rzece Lahn. Oboje studiowali w Marburgu, Christa – wychowanie fizyczne i historię, ojciec – fizykę. Ojciec nie mógł oczywiście przeoczyć mojej matki na lodzie. Na mostach nad rzeką zbierały się niekiedy grupki ludzi, którzy też nie byli w stanie jej przeoczyć. Wszyscy patrzyli w dół na wysoką postać, co do której nie dało się od razu poznać, czy jest mężczyzną, czy kobietą. Nogi w wąskich brązowych spodniach były jak u chłopaka, ramiona też, duże dłonie tkwiły w filcowych rękawicach, a krótkie brązowe włosy pod ciasną wełnianą czapką; warkocze Christa obcięła jeszcze przed pierwszym wykładem. Tylko biodra były ciut za szerokie jak na mężczyznę, czerwone policzki zbyt gładkie, a linia od płatków uszu do dolnej szczęki i dalej ku szyi była tak delikatnie wygięta, że ojciec zadawał sobie pytanie, czy należałoby w tym wypadku przyjąć, że jest to parabola czy raczej sinusoida. I ku swemu zaskoczeniu poczuł, że chce się dowiedzieć, jak i dokąd ta krzywa przebiega dalej pod grubym jasnoniebieskim wełnianym szalikiem.

Mój ojciec, Dietrich Berger, z początku nie zagadnął młodej łyżwiarki. Chodził tylko każdego popołudnia nad Lahn i patrzył na nią od czasu do czasu. Wtedy mieszkał jeszcze u swojej matki; był najmłodszy spośród czwórki dzieci. Ponieważ starszy brat już się wyprowadził, a matka była wdową, rola pana domu spoczywała na barkach Dietricha. Odgrywał ją jednak dzielnie i nie odczuwał jako ciężaru, może dlatego, że nie wpadł na to, by się nad tym zastanawiać. Jego dwie siostry wprawdzie kpiły, wymyślały mu i śmiały się z niego, gdy mówił, kiedy powinny wieczorem wrócić do domu, ale też były zadowolone, że przejął odpowiedzialność za rodzinę.

Matkę ojca znałam słabo. Umarła, gdy byłam jeszcze malutka, i przypominam sobie tylko jej sztywną wełnianą spódnicę, której halka z tafty tarła o nylonowe rajstopy ze śpiewnym dźwiękiem. Podobno była łagodna jak święta, tak przynajmniej mówiła ciotka Inga. Ale moja matka utrzymywała co innego: jej teściowa zawsze miała innym rodzinom coś do zarzucenia, ale swojego domu nie potrafiła utrzymać w porządku, rzadko gotowała, a o swoje dzieci mogłaby się lepiej zatroszczyć. Ojciec był nadzwyczaj pedantyczny, uwielbiał porządek, racjonalne w ruchach sprzątanie i wydajne czyszczenie. Chaos przyprawiał go o ból fizyczny i dlatego wieczorami najczęściej sprzątał po swojej matce. Czwórka dzieci nie słyszała od swojej święto-trzeźwej matki dowcipów ani żartów. Dobrze się bawić nauczył się dopiero później, od mojej matki, długo po tym, gdy pod koniec sezonu łyżwiarskiego w Marburgu jednak ją zagadnął.

Gdy lód stał się w końcu tępy, a pod mostami tworzyły się kałuże, ojciec zebrał się na odwagę i po czternastu dniach codziennego wałęsania się dookoła formalnie się przedstawił i powiedział:

– Współczynnik tarcia ślizgowego łyżew na lodzie wynosi przeciętnie zero przecinek zero jeden. Bez względu na ciężar. Czy to nie zadziwiające?

Christa bardzo się zaczerwieniła. Widziała, że strużyny lodu na ząbkach jej łyżew już stopniały i toczyły się po wypolerowanym metalu jak łzy. Nie, tego nie wiedziała. I owszem, to wprost zadziwiające. Potem oboje milczeli. W końcu Christa zapytała, po długiej, bardzo długiej przerwie, skąd on to tak dokładnie wie. A on szybko odpowiedział i zapytał, czy mógłby jej pokazać Instytut Fizyki. Miała tam być między innymi maszyna, w której produkowano suchy lód.

– Chętnie – odrzekła Christa, nie patrząc w górę i z wymuszonym uśmiechem na czerwonej twarzy.

Dietrich skinął głową i powiedział:

– Do widzenia.

Oboje szybko i z dużą ulgą rozeszli się w różne strony.

Następnego dnia Lahn zupełnie się roztopił, miękkie, brązowawe kry przesunęły się do brzegu, a Dietrich nie wiedział, gdzie miałby znaleźć łyżwiarkę, z którą się umówił.

W nocy księżyc świecił na moją poduszkę i rzucał ostre cienie. Zapomniałam zaciągnąć zasłony. Łóżko z trzyczęściowym materacem było wąskie, a kołdra ciężka.

Już dawno powinnam była zadzwonić do Jona albo przynajmniej o nim pomyśleć. Wyrzuty sumienia zupełnie mnie rozbudziły. Teraz rozmyślałam o nim. Jonathan, jeszcze do niedawna mój chłopak, teraz mój były chłopak, kiedyś – mój partner. Nawet nie wie, że tu jestem, ale to chyba wszystko jedno, on w końcu też nie był tam, gdzie ja byłam, zanim tu przyjechałam. Mieszkał w Anglii, i tam prawdopodobnie zostanie. A ja nie. Gdy dwa miesiące temu zapytał mnie, czy moglibyśmy zamieszkać razem, nagle poczułam, że czas już wrócić do domu. Nawet jeśli bardzo kochałam jego kraj. Tak, właśnie dlatego stało się dla mnie jasne, że muszę wyjechać, bo zostałam tam tak długo nie tyle z miłości do Jona, ile z miłości do jego kraju. I oto byłam tutaj. Posiadałam nawet kawałek ziemi w tym kraju. Wzbraniałam się traktować to jako znak, ale utwierdziło mnie to w decyzji, by znów być tu.

Gdy się traci pamięć, najpierw czas mija o wiele za szybko, potem już wcale.

– Ach, to było przecież tak dawno temu – mówiła babka Bertha o rzeczach, które działy się przed tygodniem, trzydziestu laty albo dziesięcioma sekundami. Robiła przy tym lekceważący ruch ręką, a w jej tonie dał się słyszeć wyrzut. Zawsze była czujna. Czyżby ktoś ją sprawdzał?

Mózg zamula się jak nieumocnione koryto rzeki. Najpierw obsypało się trochę okruchów, potem spory kawałek brzegu osunął się do wody. Rzeka straciła swój kształt i nurt, swoją oczywistość. W końcu już w ogóle nie płynęła, tylko bezradnie chlupotała na wszystkie strony. Białe osady w mózgu nie przepuszczały ładunków elektrycznych, wszystkie zakończenia były izolowane, a wreszcie i sam człowiek: izolacja, wyspa, skrzep, Anglia, elektrony i bursztynowe bransoletki ciotki Ingi, żywica w wodzie twardniała, woda twardniała, gdy trzaskał mróz, szkło było z krzemu, a krzem był piaskiem, piasek przesypywał się przez klepsydrę, a ja powinnam teraz spać, powoli nadszedł czas.

Wkrótce po sezonie łyżwiarskim na Lahnie ci dwoje oczywiście spotkali się. W Marburgu to prawie niemożliwe nie wejść sobie w drogę. A na pewno zupełnie niemożliwe, kiedy się ludzie szukają. Już w następnym tygodniu tych dwoje spotkało się na balu Instytutu Fizyki, na który moja matka poszła z pewnym kolegą, synem kolegi dziadka. Zazwyczaj nie wychodzili razem, ponieważ ich związek byłby mile widziany przez ojców. To sprawiało, że Christa w obecności tego chłopaka zastygała, a jego jej obecność ogłupiała. Jednak ten wieczór okazał się sukcesem. Christa była tak zajęta rozglądaniem się na wszystkie strony, że pozostała spokojna. Syn kolegi po raz pierwszy nie czuł, że lodowate odrętwienie pokrywa jak szron jego mózg i język, przez co udało mu się nawet raz czy dwa ostrym komentarzem na temat pierwszych tancerzy wywołać uśmiech towarzyszki. To Christa zasugerowała synowi kolegi ten bal w Instytucie Fizyki. I chociaż zauważył, że na widok jej zaciśniętych warg znów się przejęzyczył, starczyło mu jeszcze rozsądku, żeby zaprosić ją na ten bal.

Christa pierwsza zauważyła Dietricha, w końcu przecież po to przyszła, podczas gdy on nie liczył się z tym, że ją zobaczy. Jej zakłopotanie już zatem trochę minęło, gdy on chwilę później również ją zauważył. Jego szare oczy zabłysły, poderwał rękę do góry i dopiero wtedy pochylił głowę, by lekko się ukłonić. Konsekwentnie dążąc do celu, sprężystym krokiem podszedł do Christy i z miejsca poprosił ją do tańca, a potem jeszcze raz, następnie przyniósł jej kieliszek wina i znów z nią tańczył. Towarzysz Christy patrzył zaniepokojony, stojąc przy stoliku z napojami. Z jednej strony czuł ulgę, że tym razem wszystko szło gładko i nie musiał z nią rozmawiać, z drugiej jednak odnosił wrażenie, że nie wszystko jest całkiem w porządku. Poza tym patrzył z mieszaniną zadziwienia, satysfakcji i zazdrości na to, że jego towarzyszka jest tak pożądaną tancerką, i postanowił natychmiast poprosić ją do tańca. Wręcz przeciwnie, niż na ten wieczór planował.

Na szczęście tańczył źle, a mój ojciec dobrze. I mojej matce dobrze się tańczyło z ojcem, bo widział ją już przecież na lodzie, a to wyzwoliło ją z dławiącej nieśmiałości. To i jeszcze fakt, że ojciec był niemal bardziej nieśmiały niż ona. Tańczyli więc na wszystkich marburskich balach sezonu: majówkach, letnich potańcówkach, uroczystościach wydziałowych, na balu uniwersyteckim. W tańcu nie trzeba rozmawiać, jeśli nie ma się ochoty, inni ludzie znajdują się obok i można w każdej chwili iść do domu. Tańce były w istocie imprezą sportową – uważała Christa, rodzajem biegania parami.

Siostry Christy natychmiast zauważyły, że ona skrywa jakąś tajemnicę. Podczas ferii, które oczywiście spędziła w Bootshaven, rankiem była – jak wszystkie młode kobiety skrywające tajemnicę – zawsze pierwsza przy skrzynce na listy. Ale na dręczące czasem, czasem przypochlebne pytania sióstr tylko się czerwieniła i śmiała albo czerwieniła się i milczała. Gdy ciotka Inga w następnym semestrze zaczęła studiować historię sztuki w Marburgu, obydwie poszły na bal pierwszego semestru. Dietrich Berger został już Indze przedstawiony wraz z całą grupą młodych mężczyzn z akademickiej korporacji. Indze podobał się wysoki, przystojny student wychowania fizycznego i uznała, że to o niego chodzi. Gdy jednak zobaczyła, że Christa nie zaszczyciła ani jednym spojrzeniem butów na wysokim obcasie, które tak wspaniale pasowały do brązowej jedwabnej sukienki, tylko od razu sięgnęła po płaskie balerinki, Inga już wiedziała, o kogo chodzi – o Dietricha Bergera z jego ledwie stu siedemdziesięcioma sześcioma centymetrami wzrostu.

W tym samym roku ci dwoje się zaręczyli, a gdy moja matka miała dwadzieścia cztery lata i skończyła znienawidzony staż w szkole realnej w Marburgu, pobrali się i przenieśli na dół, do Badenii, gdzie ojciec dostał posadę w Centrum Badań Fizycznych. Od tego czasu matka była wprost chora z tęsknoty za domem.

*

Nie umiała zapomnieć Bootshaven i ze wszystkich sił mentalnie trzymała się domu, który teraz był mój. Chociaż mieszkała znacznie dłużej tam, gdzie teraz mieszkała niż w Bootshaven, wierzyła, że tam, na dole, jest tylko przejazdem. Pierwsze z tych upalnych, wilgotnych, bezwietrznych lat doprowadziło ją do rozpaczy. Kiedy w nocy nie mogła zasnąć, bo temperatura nie spadała poniżej trzydziestu stopni, leżała spocona w łóżku, patrzyła w górę na lampę z mlecznego szkła i zagryzała dolną wargę, aż z przodu pojaśniała. Potem wstawała i robiła mężowi śniadanie. Lato ustąpiło trywialnej jesieni, a ta w końcu twardej, bezchmurnej zimie. Wszystkie wody zamarzły. I tak tygodniami. Matka wiedziała, że tam zostanie. Urodziłam się w listopadzie następnego roku.

Nigdy nie czułam się w pełni cząstką tamtej miejscowości w Badenii. A Anglia to już w ogóle nie było moje miejsce, nawet jeśli sobie to przez parę lat wmawiałam. Bootshaven też nie. W południowych Niemczech rosłam i chodziłam do szkoły, tam były moje serdeczne przyjaciółki, mój dom rodzinny, moje drzewa, zalewy i moja praca. Tu, na północy, była jednak ziemia, dom i serce mojej matki. Tu byłam dzieckiem i tu przestałam nim być. Tu leżała na cmentarzu moja cioteczna siostra Rosmarie. Tu leżał mój dziadek, a teraz i Bertha.

Nie wiedziałam, dlaczego Bertha nie zostawiła domu mojej matce albo jednej z jej sióstr. Cóż, może dla babki pociechą było, że stanowiłam kolejne pokolenie Deelwaterów. Ale nikt nie kochał tego domu tak, jak kochała go moja matka, przekazanie go jej byłoby oczywiste. Wtedy wcześniej czy później i tak przypadłby mnie. Co miałam począć z tymi pastwiskami? Musiałam jeszcze raz porozmawiać o tym z bratem Miry. Myśl o rozmowie z Maxem Ohmstedtem o sprawach rodzinnych niepokoiła mnie. Musiałabym przecież zapytać również o Mirę i o to, co u niej.

Było jeszcze wcześnie, gdy wstałam. W niedziele ranki są inne, to się od razu zauważa. Powietrze miało inne właściwości, było cięższe, i wszystko wydawało się przez to jakoś opóźnione. Nawet znane odgłosy brzmiały inaczej. Były bardziej stłumione i jednocześnie bardziej natarczywe. Z pewnością działo się tak wskutek braku hałasu samochodów, być może też braku tlenku węgla w powietrzu. Być może jednak wynikało to stąd, że w niedziele zwracało się uwagę na powietrze i ludzi, na co w dni powszednie nie marnowało się ani sekundy. Ale w to właściwie nie wierzyłam, ponieważ nawet podczas ferii niedziele sprawiały takie samo wrażenie.

Podczas szkolnych ferii uwielbiałam rankiem po pierwszej nocy w tym domu poleżeć jeszcze i posłuchać odgłosów z dołu. Skrzypienia schodów, stuku obcasów na kuchennej podłodze. Drzwi z kuchni do sieni klinowały się i trzeba było zawsze otwierać je z piszczącym szarpnięciem i zamykać z hukiem. Szczękał przy tym żelazny rygiel, który zdejmowano rankiem i który potem bujał się obok futryny. W odróżnieniu od nich, drzwi z korytarza do kuchni otwierały się o wiele za lekko i zawsze, gdy drzwi do sieni były przymknięte, te drugie luzowały się z zamka i trzaskały w przeciągu. Mosiężny dzwonek przy drzwiach wejściowych dźwięczał, gdy dziadek wychodził z domu, żeby wyprowadzić swój rower z sieni i pojechać do biura. Prowadził rower przez wyjście z sieni na zewnątrz, stawiał go w ogrodzie, znów wchodził, zamykał sień od wewnątrz, a potem szedł przez kuchnię, korytarzem i przez drzwi wejściowe z powrotem na zewnątrz. Dlaczego nie wychodził od razu z tyłu, przez sień? Chyba dlatego, że chciał zaryglować sień od środka, a nie zamknąć kluczem od zewnątrz. Ale dlaczego nie zamknąć z zewnątrz? Wydawało mi się, że chciał po prostu wziąć w rękę błyszczącą mosiężną klamkę głównych drzwi wejściowych, pobyć przez kilka sekund jako pan domu na podeście schodów, wyjąć gazetę ze skrzynki na listy, wetknąć do aktówki, zejść na dół, wsiąść na rower i dzwoniąc z krótkim, wręcz dziarskim pozdrowieniem pod kuchennym oknem, odjechać wczesnym rankiem. W każdym razie nie pasowałoby do tego wizerunku, który on sam i wszyscy inni mieli, jeśli chodzi o pana notariusza, gdyby niepostrzeżenie wyślizgiwał się do pracy tylnym wyjściem. Również wtedy, gdy od dawna już nie miał w biurze nic do powiedzenia. Ale w każdym razie aż do jego śmierci żaden z partnerów nie odważył się przejąć jego gabinetu, chociaż był największy i najładniejszy.

Gdy wyszedł, słychać było z kuchni głośne stukanie naczyniami, kobiece głosy, kobiecy śmiech, szybkie kroki, trzaskanie drzwiami, ale też przez echo, które w tym wysokim pomieszczeniu zniekształcało głosy, nie słychać było, o czym tam się mówiło. Jednak jaki nastrój panował w kuchni, można było dosłyszeć całkiem dokładnie. Jeśli głosy były stłumione i głębokie, słowa jednosylabowe i wypowiadane z długimi przerwami, to oznaczało troski. Jeśli mówiono dużo, szybko i wciąż tym samym, zazwyczaj głośnym, tonem, były to informacje o codziennych sprawach. Jeśli dobiegały chichoty i szepty albo stłumione okrzyki, wskazane było szybko się ubrać i ześliznąć na dół, bo kilka razy w ciągu dnia rozwiewały się tajemnice. Później, gdy Bertha straciła pamięć i już nie mówiła głośno, pojawiły się przerwy różnej długości, podczas których zawsze, gdy groziło, że potrwają za długo, pospiesznie rozlegały się inne głosy. Najczęściej kilka innych głosów naraz, gwałtownie nabrzmiewających i równie szybko opadających.

*

Tego ranka oczywiście nic nie było słychać. W końcu byłam w domu sama. Ta cisza przypominała mi inny poranek sprzed trzynastu laty, kiedy też nic nie było słychać, tylko od czasu do czasu szczęknęły drzwi albo stuknęła filiżanka. Poza tym cisza. To był rodzaj ciszy, jaka mogła nastąpić tylko po wstrząsie. Jak głuchota po strzale. Cisza jak rana. Rosmarie tylko troszeczkę krwawiła z nosa, ale na bladej skórze ta mała, ostro zarysowana strużka wyglądała, jak gdyby z nas szydziła.

Wstałam, umyłam twarz w pokoju ciotki Ingi, umyłam zęby, wskoczyłam w swoją czarną, pomiętą sukienkę i zeszłam na dół, żeby zaparzyć herbatę. Znalazłam szereg pudełek z herbatą ekspresową, nawet trochę płatków kukurydzianych, które wprawdzie smakowały już kuchenną szafką, ale przynajmniej nie rozmokły. Prawdopodobnie to pamiątka krótkich pobytów ciotki Ingi w domu. W lodówce miałam jeszcze mleko od pana Lexowa.

Później pojechałam rowerem do budki telefonicznej przy stacji benzynowej i zadzwoniłam do Fryburga. Była oczywiście niedziela, ale wiedziałam, że automatyczna sekretarka w bibliotece uniwersyteckiej działa. Powiedziałam, że muszę wziąć jeszcze trzy dni wolnego, żeby uregulować sprawy spadkowe. Potem pojechałam nad torfowe jezioro.

Musiało być jeszcze bardzo wcześnie, ponieważ z garstki ludzi, których spotkałam po drodze, wszyscy byli posiadaczami psów i pozdrawiali mnie tym dyskretnie konspiracyjnym uśmiechem, typowym dla prawdziwych – czyli niedzielnych – rannych ptaszków. Drogę nad jezioro łatwo było znaleźć. Jak prawie wszystkie drogi tutaj, wiodła prosto przez łąki i przez mały lasek. W którymś momencie skręciłam w prawo i jechałam po drodze wybrukowanej kocimi łbami przez jakąś miejscowość, która składała się z trzech gospodarstw ze stodołami, silosami i traktorami, potem objechałam dwa pagórki, znów przez łąki i w następnym lasku znów w prawo. Tutaj było. Jak tafla czarnego szkła.

Postanowiłam potem poszukać w szafach starych kostiumów kąpielowych, nie chciałam przecież stać się powodem powszechnego zgorszenia. Ale tym razem musiałam się obejść bez, nikogo zresztą tu nie było. Niestety, nie miałam nawet ręcznika. A w domu było ich dwa, jeśli nie trzy potężne kufry. Szybko zdjęłam sukienkę i buty i poszłam do jeziora. Całe zarosło, tylko z przodu było płaskie miejsce z odrobiną piasku. Jednoosobowy kawałeczek plaży. Weszłam powoli do wody. Jakaś ryba drgnęła tuż obok. Przeszedł mnie dreszcz. Woda nie była już zimna, jak myślałam. Piasek dna przeciskał mi się między palcami, szybko się odbiłam i popłynęłam.

Zawsze kiedy pływałam, czułam się bezpieczna. Nic nic mogło wyciągnąć mi gruntu spod stóp. Nic nie mógł się załamać, zapaść czy usunąć, rozstąpić się ani mnie pochłonąć. Nie obijałam się o rzeczy, których nie mogłam dostrzec, nie następowałam na nic przez nieuwagę, nie raniłam ani siebie, ani innych. Woda była obliczalna, zawsze taka sama. Dobrze, raz była przejrzysta, raz czarna, czasem zimna, czasem ciepła, raz spokojna, innym razem wzburzona, ale pozostawała w swojej naturze, nawet jeśli nie w swoim stanie skupienia, niezmienna, zawsze była wodą. A pływanie to było latanie dla tchórzy. Szybowanie bez groźby upadku. Nie pływałam szczególnie pięknie – nogami poruszałam asymetrycznie, ale płynnie i pewnie, i gdyby zaszła potrzeba, również godzinami. Uwielbiałam ten moment opuszczenia ziemi, zmianę żywiołu, i uwielbiałam moment zdania się na to, że woda mnie unosi. I, w przeciwieństwie do ziemi i powietrza, ona to robiła. Pod warunkiem, że się pływało.

Pływałam w poprzek i wzdłuż czarnego jeziora. Tam, gdzie moje dłonie dotknęły gładkiej powierzchni, natychmiast marszczyła się, stawała płynna i miękka. Spłynęła ze mnie historia pana Lexowa, wszystkie historie ze mnie spłynęły, i znów stałam się taka, jaka byłam. I wtedy zaczęłam się cieszyć na te trzy dni w domu. A co by było, gdybym go zatrzymała? Tak na początek. Na drugim brzegu jeziora nie weszłam na ląd. Gdy pierwsze liście wodnych roślin otarły się o moje stopy, natychmiast zawróciłam i popłynęłam z powrotem. Zawsze bałam się, kiedy coś dotknęło mnie w wodzie od dołu. Bałam się zmarłych, którzy wyciągają stamtąd do mnie swoje miękkie białe ręce, olbrzymich szczupaków, które mogły pływać pode mną, w miejscach, gdzie woda nagle stawała się całkiem zimna. Jako dziecko uderzyłam kiedyś na środku zalewu o jeden z tych dużych rozkładających się pni drzew, które pojawiają się od czasu do czasu w takich jeziorach, a potem przesuwają się tuż pod powierzchnią wody. Krzyczałam i krzyczałam, i krzyczałam, i już nie chciałam z powrotem na ląd. Matka musiała mnie wyciągnąć.

Patrzyłam z daleka na swój rower i małą czarną kupkę ubrań na białym pasie piasku. I wtedy zobaczyłam, naprawdę, jeszcze jeden rower i jeszcze jedną kupkę ubrań. Ułożoną jak najdalej od mojej, ale niezbyt daleko, bo moja leżała prawie pośrodku małego kawałka plaży. A ja nie miałam na sobie kostiumu kąpielowego. Miałam nadzieję, że to ubranie kobiety. Gdzie ona była?

Ujrzałam nagle w wodzie czarną czuprynę, która się do mnie zbliżała, białe ramiona powoli unosiły się i opadały.

Nie. To niemożliwe, po prostu nie do wiary! Max Ohmstedt. Śledził mnie? Max zbliżał się zadziwiająco szybko. Widział oczywiście mój rower, kiedy przyjechał, ale czy go rozpoznał? I czarną sukienkę?

Max nie podniósł wzroku, tylko ze spokojem przeorywał ciemną wodę. Mogłabym przepłynąć obok niego, ubrać się i pojechać do domu, a on by nie zauważył. Później zadawałam sobie pytanie, czy nie chciał mi stworzyć okazji właśnie do tego. W każdym razie zawołałam półgłosem:
– Hej!
Nie usłyszał, musiałam więc zawołać głośniej:
– Hej! – I znów: – Max!
W końcu odwrócił do mnie głowę, byliśmy tymczasem mniej więcej na tej samej wysokości, odgarnął do góry mokre włosy, które przykleiły mu się do czoła, i patrzył na mnie spokojnie.
– Hej – powiedział trochę bez tchu. Nie uśmiechał się, ale też nie patrzył wrogo. Wydawało się, że na coś czeka. W końcu wyjął dłoń z wody i pomachał ruchem, który w swoim opóźnieniu wydawał się na wpół zakłopotanym pozdrowieniem, na wpół białą flagą.
Jego powaga trochę mnie poruszyła, podobnie jak wysoko odsunięte włosy, które sterczały teraz nad czołem. Musiałam się roześmiać.
– To przecież tylko ja!
– Tak.
Zachowywaliśmy się tak, jak gdybyśmy stali naprzeciwko siebie i starali się jak najmniej kiwać, ale nasze nogi dziko młóciły wodę, żebyśmy nie utonęli. Rozpaczliwie szukaliśmy przy tym tematu do przyjaźnie zdystansowanej rozmowy. Kompletnie naga tkwiłam w wodzie obok mojego adwokata. To wszystko przeleciało mi przez głowę i nie przyczyniło się do tego, by konwersacji nadać ognistą nutę.

Jednocześnie zastanawiałam się w rozpaczy, jak z godnością się ulotnić. Krótkie skinięcie głową i uśmiech, niezbyt serdeczny, rzucone lekko „na razie" i płyniemy dalej. To wydało mi się odpowiednią strategią. Wciągnęłam więc powietrze, uniosłam dłoń w geście pozdrowienia i nieopatrznie wlał mi się przy tym do ust potężny haust wody. Niestety, zakrztusiłam się przy tym straszliwie, bo wciągałam powietrze naprawdę głęboko. Kaszlałam, rzęziłam, charczałam, uderzałam obydwiema rękami o wodę dookoła. Łzy napłynęły mi do oczu, a moja twarz musiała nabrać osobliwego koloru, ponieważ Max lekko przekrzywił głowę, przymknął oczy i obserwował z zainteresowaniem moje dziwne ruchy w czarnym, przedtem gładkim jeziorze. Jakaś łyska zerwała się do lotu, a ja wciąż kaszlałam, zanurzałam się pod wodę, znów wypływałam na powierzchnię. Max podpłynął bliżej.

– Wszystko w porządku? – zapytał.

Odpowiedź zaczęłam od wyplucia wody prosto w jego twarz.

– Tak, oczywiście, wszystko w porządku! – wycharczałam. – A u ciebie?

Kiwnął głową.

Pospiesznie płynęłam do brzegu. Od czasu do czasu musiałam się zatrzymać, żeby odkaszlnąć. Gdy jednak tuż przed wyjściem odwróciłam się, zobaczyłam, że Max znajduje się zaraz za mną, i już nie płynie kraulem. O ludzie! Czy naprawdę muszę naga i targana napadami kaszlu wybiec z wody? Już wyobrażałam sobie, jak pospiesznie i gwałtownie wciągam czarną sukienkę przez głowę i ramiona i – jeśli nie wytrę się do sucha – utkwię w niej z wyciągniętymi w górę rękami. Ślepa i uwięziona w gęstej bawełnie, upadnę na rower i przy podnoszeniu się, wycięciem na pachę zaczepię o pedał. I kiedy tak, dokładnie spętana, ciągnąc za sobą męski rower, będę stamtąd pospiesznie dreptać, moje stłumione, wręcz dające się nazwać zwierzęcymi, krzyki dadzą się słyszeć daleko od czarnego jeziora. I każdemu, kto będzie miał nieszczęście je słyszeć, serce zamrze w piersi i nigdy więcej nie będzie mógł...

– Iris.

Odwróciłam się. Tym razem przynajmniej nie musiałam przebierać nogami, bo już mogłam stanąć na dnie.

– Iris. Ja... Cóż. Cieszę się, że cię widzę. Szczerze. Mira też kochała to jezioro. Ono było... No tak, wiesz przecież, jakie ono było.

– Było czarne. Wiem.

Było czarne, wiem? Czy to właśnie powiedziałam? Max musiał mnie uważać za kompletnie ograniczoną. Zachowałam się jednak tak, jak gdybym właśnie powiedziała coś bardzo sensownego, i zapytałam:

– Co u Miry?

– Och, dobrze, wiesz. Już od dawna tu nie mieszka. Też jest prawniczką. W Berlinie.

Max tymczasem również osiągnął grunt pod stopami. Staliśmy w odległości mniej więcej dwóch długości ciała.

– Berlin. To do niej pasuje. Pracuje z pewnością w jakiejś eleganckiej kancelarii i nosi drogie czarne kostiumy i czarne kozaki.

Max pokręcił głową. Wydawało się, że chce coś powiedzieć, zastanowił się jednak, a potem rzekł z ociąganiem:

– Już dawno jej nie widziałem. Od śmierci. Od śmierci twojej kuzynki nie nosiła już czerni. I nie przyjeżdża tutaj. Od czasu do czasu rozmawiamy przez telefon.

Nie wiem, dlaczego to mną tak wstrząsnęło. Mira w kolorach? Patrzyłam na Maxa. Był trochę podobny do Miry, miał więcej piegów, które Mira wtedy z pewnością wybielała. Jego oczy były wielobarwne. Był w nich brąz i coś jaśniejszego, może zieleń albo żółć. Takie same ciężkie powieki. Znów je sobie przypomniałam. Jego oczy już znałam z czasów, gdy byliśmy dziećmi, jego ciało było mi obce. Stało się tymczasem sporo wyższe od mojego i trochę pochylone, białe, gładkie, niezbyt masywne, ale wytrenowane. Drgnęłam.

– Max...

– Co takiego?

– Max, nie mam ręcznika.

Patrzył na mnie trochę zmieszany. Wskazał brodą na swoją kupkę ubrań i otworzył usta. Ale zanim zdążył mi zaproponować swój ręcznik, powiedziałam szybko:

– I kostiumu kąpielowego też nie mam. To znaczy na sobie.

Zanurzyłam się trochę głębiej w wodzie, gdy spojrzenie Maxa błądziło po moich ramionach. Skinął głową. Czyżbym rozpoznawała cień szelmowskiego uśmiechu?

– W porządku. I tak chciałem jeszcze trochę popływać. Bierz, czego potrzebujesz.

Powiedziawszy to, kiwnął głową i odpłynął.

Cóż za miły, poważny młody mężczyzna, i taki uprzejmy – mamrotałam, gdy wychodziłam z wody, i dziwiłam się, dlaczego to brzmi tak kąśliwie.

Z początku nie chciałam używać jego ręcznika, ale jednak wzięłam go i wycierałam się tak długo, aż stał się całkiem mokry. Założyłam sukienkę. Kiedy wsiadałam na rower, żeby wrócić do domu, spojrzałam na jezioro i zobaczyłam Maxa stojącego na drugim brzegu. Pomachałam, on podniósł rękę. Potem oddaliłam się.

Rozdział VI

Gdy jechałam do domu, powietrze nad asfaltem było już tak rozgrzane, że drgało, przez co ulica zdawała się przemieniać w rzekę. Wprowadziłam rower do sieni, gdzie jak zawsze panował wilgotny półmrok. Gliniana podłoga i bielone wapnem mury powodowały chłód. Jasne ramiona Maxa w czarnej wodzie. Oczy jak torf i grzęzawisko.

Czy powinnam przejrzeć papiery? Sprawdzić dokumenty spadkowe? Czy w ogóle już jakieś dostałam? Zebrać fragmenty wspomnień? Chodzić po pokoju? Wyjść na dwór? Wziąć leżak i coś poczytać? Odwiedzić pana Lexowa?

Wyciągnęłam białą emaliowaną miskę z jednej z szafek i poszłam do krzaków porzeczek w kuchennym ogródku. Znałam ten dotyk ciepłych jagód, które brało się w rękę delikatnie, jak gdyby to były jaja kosa, i trzeba było paznokciami jednej ręki oderwać u góry, tam gdzie gronko wyrasta z gałązki, a drugą podtrzymywało się gałązkę. Moje dłonie szybko i spokojnie nazbierały całą miskę porzeczek. Usiadłam na leżącym pniu sosny i zębami odrywałam mleczno-złote jagody z zielonych szypułek, kwaśne i słodkie jednocześnie, pestki smakowały cierpko, a sok był ciepły.

*

Poszłam z powrotem do domu przez rozgrzany upałem ogród. Duża niebieskozielona ważka drżała nad krzakami jak wspomnienie, zawisła w powietrzu na chwilę i zniknęła. Pachniało dojrzałymi porzeczkami i ziemią, i jeszcze czymś zgniłym: może odchodami, martwym zwierzęciem czy rozkładającym się miąższem owoców. Nagle naszła mnie ochota, by wypielić podagrycznik, który się rozpanoszył. Czułam przymus przyklęknięcia i oparcia pędów wyki, które na ślepo owijały się wokół sztachet płotu, łodyg kwiatów i traw – pan Lexow musiał wysiać i ją – na pewniejszych podpórkach. Zamiast to zrobić, zdecydowanie zerwałam kilka wysokich dzwonków, zamknęłam za sobą niską furtkę, przeszłam obok zewnętrznych schodów, kuchennych okien i otworzyłam drzwi do sieni. Po jaskrawym świetle przedpołudnia w półmroku z początku nic nie widziałam, a ten gliniany chłód wpełzał pod czarną sukienkę. Po omacku poszukałam roweru i wyprowadziłam go na zewnątrz. Potem pojechałam znów główną ulicą pod górę, w kierunku kościoła. Ale zamiast w lewo, przy małym wybiegu dla koni, skręciłam w prawo, w kierunku cmentarza.

Rower postawiłam na placyku przed cmentarzem, zaraz obok starego męskiego roweru. Do moich dzwonków zerwałam jeszcze kilka maków i poszłam do rodzinnego grobu.

Pana Lexowa widziałam już z daleka. Jego siwe włosy błyszczały na tle ciemnozielonego żywopłotu. Siedział na ławce, która stała kilka metrów od grobu Berthy. Jego widok mnie wzruszył, ale zarazem mi przeszkadzał. Chciałam być tu sama. Gdy pan Lexow usłyszał moje kroki na szutrze, z wysiłkiem wstał i wyszedł mi naprzeciw.

– Właśnie miałem już iść – powiedział. – Na pewno chce pani pobyć tu sama.

Zawstydziłam się, bo odczytał moje myśli słowo w słowo, i dlatego szybko pokręciłam głową.

– Nie. Oczywiście, że nie. I tak chciałam zapytać, czy nie wpadnie pan potem i nie opowie mi tej historii do końca.

Pan Lexow rozejrzał się niespokojnie.

– Och, nie ma już nic do dodania, tak myślę.

– Ale co się później stało? Bertha wyszła za mąż za Hinnerka, a pan? Jak mógł pan... to znaczy, jak mógł pan moją...

Przerwałam zakłopotana. Słowa „zapłodnić moją babkę" chyba nie przeszłyby mi przez usta.

Pan Lexow cicho, ale z wielkim naciskiem, rzekł:

– Zupełnie nie wiem, tak sądzę, o czym pani mówi. Pani babka Bertha była moją przyjaciółką, której okazywałem zawsze wyłącznie szacunek. Bardzo dziękuję za miłe zaproszenie, ale jestem starym człowiekiem i wcześnie kładę się spać.

Skinął głową. Do jego spojrzenia wśliznął się pewien chłód. Skinął potem w kierunku grobu Berthy, na którym wieńce wyglądały na mocno już przywiędłe, i powoli ruszył do wyjścia. Wcześnie kładł się spać. Nic oprócz szacunku. Patrzyłam na kamień nagrobny Hinnerka i ziemię, pod którą spoczywała Rosmarie ziemię z rosnącym krzakiem rozmarynu. Czyżby pan Lexow już zapomniał wczorajszy wieczór? Czyżby pamięć tracili tylko ludzie, którzy mieli coś do zapomnienia? Czy zanik pamięci był po prostu niezdolnością do pamiętania czegoś? Być może starzy ludzie niczego nie zapominali całkiem, jedynie wzbraniali się przed pamiętaniem jakichś spraw. Powyżej jakiejś liczby wspomnień każde następne dla kogoś przecież mogło być nadmierne. Zapominanie zatem było też jakąś formą pamiętania. Gdyby się nie zapominało niczego, nie można by było sobie czegoś przypomnieć. Zapominanie było jak ocean, który rozciągał się wokół wysp pamięci. Były w nim prądy, wiry i głębiny. Czasem pojawiały się piaskowe ławy i przesuwały się do wysp, czasem coś znikało. Mózg miał pływy. Tylko u Berthy nadszedł potop i pochłonął te wyspy. Czy jej życie znalazło się na morskim dnie? A pan Lexow nie chciał, żeby ktoś tam węszył? Albo wykorzystał jej zniknięcie do opowiedzenia własnej historii, historii, w której odgrywał jakąś rolę? Dziadek często opowiadał mnie i Rosmarie o zatopionej sąsiedniej miejscowości. Rybia Wieś – mówił, była kiedyś bogatą gminą, bogatszą niż Bootshaven, ale jej mieszkańcy spłatali pastorowi figla. Przywołali go do umierającego, ale włożyli do łoża żywą świnię. Krótkowzroczny pastor pełen współczucia udzielił świni ostatniego namaszczenia. Gdy, kwicząc, wyskoczyła z łóżka, pastor doznał tak silnego wstrząsu, że uciekł ze wsi. Tuż przed granicą następnej miejscowości zauważył, że zostawił swoją Biblię w sąsiedniej wsi. Zawrócił więc, ale już wsi nie odnalazł. Tam, gdzie dotąd była, znajdowało się duże jezioro. Tylko Biblia kołysała się jeszcze na płytkiej wodzie przy brzegu.

Dziadek zawsze korzystał z tej historii jako okazji do wykpienia głupoty i pijaństwa klechów. To, że nie odróżniają ludzi od świń, wszędzie zostawiają swoje rzeczy, a potem jeszcze błądzą, uważał za typowe i opowiadał się całkowicie po stronie mieszkańców Rybiej Wsi. Nieszczególnie lubił, kiedy ludzie byli karani za sukcesy.

Być może pan Lexow wcale nie był ojcem Ingi. Może chciał tylko zagarnąć dla siebie to, co najlepszego miała Bertha. Coś, co nie należało jeszcze do nikogo innego. W każdym razie Bertha kochała tylko Hinnerka. Postanowiłam zapytać Ingę. Ale co, oprócz cudzej historii, mógłby mi opowiedzieć?

Pospiesznie położyłam mój niebiesko-czerwony bukiet kwiatów na grobie Rosmarie. Nie widziałam pana Lexowa. Ale dość już starych historyjek. Długimi krokami szłam z powrotem do bramy. Kątem oka widziałam, że po lewej stronie między grobami coś się rusza. Przyjrzałam się dokładniej i zauważyłam mężczyznę w białej koszuli, który oddalony o dobry kawałek od naszych rodzinnych nagrobków siedział w cieniu czerwonolistnej śliwy wiśniowej, z plecami opartymi o nagrobek. Stanęłam. Obok mężczyzny ujrzałam butelkę. Siedzący miał w dłoni kieliszek. Wystawiał twarz do słońca. Nie bardzo mogłam rozpoznać kto to. Widziałam tylko, że miał okulary przeciwsłoneczne, ale wyglądał na bezdomnego, choć zarazem na niego nie wyglądał, na członka rodziny w żałobie też nie. Dziwne miejsce. Bootshaven. Kto chciał tu mieszkać?

I kto chciał być tu pochowany?

Rzuciłam ostatnie spojrzenie na wysoki czarny nagrobek, pod którym leżeli moi pradziadkowie, moja cioteczna babka Anna, Hinnerk, a teraz i Bertha Lünschen oraz moja cioteczna siostra Rosmarie. Ciotki też już sobie tam wykupiły miejsca. Co będzie z moją matką? Czyżby jej chory z tęsknoty duch mógł znaleźć prawdziwy spokój jedynie w tej jałowej bagnistej ziemi. A ja? Czy właścicielce rodzinnego domu należało się miejsce w rodzinnym grobie?

Przyspieszyłam kroku, zamknęłam furtkę. Za nią rower Hinnerka. Wsiadłam i pojechałam z powrotem do domu. Gdy tylko się przed nim znalazłam, weszłam, przyniosłam sobie dużą szklankę wody i usiadłam na schodach, tam, gdzie dwa dni wcześniej siedziałam z rodzicami i ciotkami.

Kiedyś Rosmarie, Mira i ja często siedziałyśmy tu. Gdy byłyśmy mniejsze, z powodu tajemnic ukrytych pod kamiennymi płytami, później ze względu na wieczorne słońce. Te wejściowe schody były cudownym miejscem, należały tak samo do domu jak do ogrodu. Obrastały je pnące róże, ale gdy drzwi wejściowe były otwarte, zapach kamieni z korytarza mieszał się z zapachem kwiatów. Schody nie należały ani do góry, ani do dołu, ani do środka, ani do terenu na zewnątrz. Były tu po to, żeby łagodnie, ale zdecydowanie stanowić przejście między dwoma światami. Być może dlatego jako nastolatki musiałyśmy tyle czasu spędzać tu w kucki albo opierając się o framugę, siedzieć na murkach, przesiadywać na przystankach autobusowych, biegać po nasypach kolejowych i gapić się z mostów. Czekające na przejazd, schwytane w przestrzeni między światami.

Czasem Bertha siadała z nami na schodach. Była spięta, bo i ona wydawała się czekać, ale nie wiedziała dokładnie na kogo i na co. Najczęściej czekała na kogoś, kto już nie żył – swojego ojca, później Hinnerka, dwa razy też na swoją siostrę Annę.

Od czasu do czasu Rosmarie zabierała ze sobą kieliszki i butelkę wina pochodzącą z zapasów Hinnerka w piwnicy. Chociaż był synem karczmarza, niewiele wiedział o winie. W wiejskiej karczmie pijało się raczej piwo. Kupował wino, jeśli wydawało mu się, że to korzystne, wolał słodkie od wytrawnego i białe od czerwonego. Mira piła tylko ciemnoczerwone, prawie czarne. Piwniczka pełna była butelek i Rosmarie zawsze znajdowała jakieś ciemne wino dla Miry.

Ja nie piłam z nimi. Alkohol mnie ogłupiał. Urwany film, czarna ściana, utrata świadomości – te wszystkie straszliwe rzeczy mogły się wydarzyć przy piciu, to przecież było wiadomo. I nienawidziłam, kiedy Rosmarie i Mira piły wino. Gdy stawały się głośne i śmiały za dużo, było tak, jak gdyby pojawiał się między nami olbrzymi ekran. Mogłam przez szkło obserwować swoją cioteczną siostrę i jej przyjaciółkę, tak jakbym oglądała film przyrodniczy o olbrzymich pająkach, w którym wyłączono dźwięk. Bez trzeźwego komentarza lektora te stworzenia pozostawały odrażające i obce.

Mira i Rosmarie niczego nie zauważały, ich pajęcze oczy stawały się już nieco szkliste i wydawało się, że bawi je moje nieruchome spojrzenie. Zostawałam zawsze troszkę dłużej, niż mogłam wytrzymać, potem sztywno się podnosiłam i wchodziłam do domu. Nigdy nie byłam chyba tak samotna jak wtedy na schodach z tymi dwiema dziewczynami--pająkami.

Gdy Bertha była przy tym, także piła. Rosmarie jej dolewała, a ponieważ babka zapominała, czy wypiła jeden czy już trzy kieliszki, zawsze podsuwała kieliszek. Albo dolewała sobie sama. Jej zdania były potem jeszcze bardziej zagmatwane, śmiała się, jej policzki się zaróżowiały. Mira powstrzymywała się od picia, gdy obecna była Bertha, być może z szacunku do niej, a może z powodu swojej matki, ponieważ pani Ohmstedt znana była z tego, że chętnie pijała więcej, niż podpowiadało jej pragnienie. Kiedyś Bertha zawołała nas i powiedziała to, co mówiła zawsze: „Niedaleko pada jabłko od jabłoni". Mira pobladła wtedy, wzięła swój kieliszek, z którego właśnie chciała się napić, i wylała zawartość w róże.

Rosmarie zachęcała babkę do picia, być może dlatego, że to usprawiedliwiało jej własne opilstwo. Ale też prawdą było, gdy mówiła:

– Pij, babciu, to nie będziesz musiała tak dużo płakać.

Bertha piła z dziewczynami wino na schodach tylko przez jedno lato. Wkrótce potem była zbyt pobudzona, żeby przysiąść gdziekolwiek, a pod koniec następnego lata Rosmarie już nie żyła.

Słońce zniżyło się, a ja miałam pusty kieliszek. Teraz, kiedy byłam tutaj, mogłam odwiedzić rodziców Miry i zapytać ich o córkę. Od jej brata niewiele się dowiedziałam. Tym razem nie pojechałam w lewo, do wsi, tylko kawałek w kierunku miasta. Dzwonek zabrzmiał znaną mi z przeszłości tercją kukułki. Ogród wyglądał na dość zdziczały i nie stanowił już wzorca geometrycznego przycinania żywopłotu i rabatek biegnących pod sznurek.

– No, czy twój ojciec znów bawił się swoim trójkątem

kreślarskim? – kpiła zazwyczaj Rosmarie, gdy Mira otwierała nam drzwi.

Teraz trawa wyrosła wysoko, krzaki i drzewa nie były przycinane, i to od dawna.

Właściwie powinnam była to przewidzieć, ale poczułam bezgraniczne zaskoczenie, kiedy drzwi otworzył mi Max. On też był przez chwilę zdziwiony, ale jeszcze zanim zdążyłam cokolwiek powiedzieć, uśmiechnął się i podszedł do mnie. Wyglądał przy tym na szczerze ucieszonego.

– Iris, jak dobrze. Miałem dziś do ciebie zajrzeć.

– Naprawdę?

Dlaczego właściwie tak się zdziwiłam? Oczywiście, że musiał do mnie zajrzeć. Był w końcu kimś na kształt mojego adwokata.

Rzucił mi niepewne spojrzenie.

– Tak sobie myślę, co za przypadek – plotłam. – A ja właściwie wcale nie przyszłam do ciebie!

Jego uśmiech nie był już tak szeroki.

– Nie, nie, nie o to mi chodziło. Chciałam tylko powiedzieć, że nie wiedziałam, że teraz tu mieszkasz. Ale skoro jesteś, oczywiście biorę i... ach... ciebie.

Brwi Maxa podjechały w górę. Przeklinałam się i czułam, jak krew napływa mi do twarzy. Akurat gdy jakąś inteligentną uwagą – na przykład: „och, już pójdę" – chciałam utorować sobie drogę odwrotu, Max powiedział z szyderczym uśmiechem:

– Naprawdę? Bierzesz mnie? Zawsze sobie tego życzyłem. Nie bądź głupia. Zostań, Iris! Wchodź. Albo wyjdźmy oboje. Chodźmy przez dom, pamiętasz chyba jeszcze, jak się idzie na taras.

– Tak.

Gdy zakłopotana szłam przez dom, który kiedyś dobrze znałam, moje zmieszanie jeszcze się powiększyło. To nie był dom, który znałam. Już nie było żadnych drzwi. Żadnych tapet. Żadnego koca! Wszystko stało się jednym dużym pomieszczeniem, pomalowanym na biało. Moje sandały skrzypiały na gołych deskach podłogi. Błyszczała bielą kuchnia, stała tu duża, zapuszczona niebieska sofa, widziałam ścianę książek i ścianę z potężnym, ale niezwykle eleganckim sprzętem grającym.

– Gdzie są twoi rodzice? – zapytałam.

– Mieszkają w garażu. W końcu teraz zarabiam lepiej niż mój ojciec na emeryturze.

Odwróciłam się i spojrzałam na niego. Lubiłam go!

– Hej, to był tylko żart. Matka zawsze chciała się stąd wynieść, wiesz przecież. A ojciec był chory, nawet bardzo. I gdy wyzdrowiał, postanowili podróżować tyle, ile się da. Mają małe mieszkanko w mieście. Czasem przyjeżdżają z wizytą i wtedy rzeczywiście śpią w garażu. Ale mój samochód nie jest specjalnie duży, i dlatego...

– Max, zamknij dziób, ty Nieudaczniku. Koniecznie chciałam cię zapytać, gdzie tu można popływać tak, żebyś człowieka nie śledził. Nie możesz mi po prostu powiedzieć, gdzie masz zamiar pływać w następnych dniach, żebym wiedziała, których miejsc unikać?

– Nie przesadzaj ze swoją atrakcyjnością. Robię tylko to, co zawsze. Co poradzę na to, że najwyraźniej poznałaś moje nawyki i wciąż wchodzisz mi niby przypadkiem w drogę, i to czasem nawet nieubrana? A teraz dzwonisz do moich drzwi i zadajesz głupawe pytania!

Pokręcił głową, odwrócił się i poszedł do kuchni. Miał na sobie białą koszulę, znów z plamami na plecach, tym razem szarymi i zielonkawymi, jak gdyby opierał się o stare drzewo. Kiedy przestawiał butelki i szklanki, słyszałam jego smutne pomruki. Wyrażenia w rodzaju „swawolna istota", „słaby charakter" i „obsesja" również dały się w nich słyszeć.

Piliśmy na tarasie białe wino z wodą mineralną. Ja oczywiście więcej wody niż wina. Taras był taki jak zawsze, tylko ogród zdziczał. Świerszcze cykały. A ja poczułam wilczy głód.

– Muszę do domu – oznajmiłam.

– Dlaczego? Przecież dopiero przyszłaś. Nawet nie zdążyłem zapytać, czego chciałaś od moich rodziców. W ogóle nie zapytałem, co robisz i gdzie mieszkasz, bo to wszystko już wiem z dokumentów.

– Tak? Jak się wchodzi w ich posiadanie?

– Tajemnica adwokacka. Niestety, nie mogę pani udzielić żadnej informacji o moich klientkach.

– No, ale ktoś musi ci przecież dostarczać tych informacji?

– Owszem, ale nie powiem kto.

– Która z moich ciotek? Inga czy Harriet?

Max śmiał się, lecz milczał.

– Muszę iść, Max. Chciałabym jeszcze... znaczy, jeszcze nie... W każdym razie muszę iść.

– No cóż. Masz oczywiście ważne powody, dla których nie powiedziałaś tego od razu. Mogę coś przekazać rodzicom? A nie chcesz wiedzieć, gdzie jutro idę popływać? I nie chcesz zjeść ze mną kolacji?

Mocno skupiony, zdejmował korek z korkociągu, kiedy mówił, i tylko przy ostatnim pytaniu szybko na mnie spojrzał.

Głęboko westchnęłam.

– Tak. Chcę, Max. Bardzo, bardzo, bardzo chcę zjeść z tobą kolację, bardzo dziękuję.

Max milczał, patrząc na mnie, i uśmiechał się z pewnym wysiłkiem.

– Co jest? – zapytałam zdziwiona. – Zapytałeś tylko z uprzejmości?

– Nie, ale czekam na „ale".

– Jakie „ale"?

– No to „ale" z: „Tak, tak, najkochańszy Maksie, chcę, tak bardzo chcę, ale...". To „ale" miałem na myśli.

– Żadnego „ale".

– Żadnego?

– Żadnego, człowieku. Ale jeśli dłużej będziesz pytał, to...

– A widzisz, jest jednak jakieś „ale"!

– Zgadza się.

– Wiedziałem – westchnął i słychać było, że jest zadowolony. Potem gwałtownie wstał i powiedział:

– Do dzieła zatem. Chodźmy i zobaczmy, co znajdziemy w kuchni.

W kuchni znaleźliśmy całe mnóstwo rzeczy. Tego wieczoru dużo się śmiałam, być może niestosownie dużo jak na kogoś, kto przybył tu z powodu pogrzebu. Ale dobrze się czułam z Maxem i jego uprzejmą bezczelnością. Miał w lodówce tak dużo chleba, oliwek, past i sosów, że zapytałam go, czy spodziewa się wizyty. Na to on zastygł w bezruchu, spojrzał trochę dziwnie i pokręcił głową. Potem się schylił i wyjaśnił, że miał zamiar zaprosić mnie, ponieważ jest człowiekiem wrażliwym, ale przy śluzie prawie na śmierć mnie przestraszył, a więc nie przypuszczał, że wtargnę do jego domu. Uśmiechał się przy tym trochę krzywo i smarował chleb kremem z porów. Nic nie powiedziałam.

Gdy wstałam, żeby już pójść, było ciemno. Max odprowadził mnie do roweru. Kiedy położyłam rękę na kierownicy, on położył na niej swoją dłoń i pocałował mnie w kącik ust. Pocałunek przeniknął mnie z impetem, którym poczułam się zaskoczona. W każdym razie oboje cofnęliśmy się o krok, przy czym ja weszłam w doniczkę. Pospiesznie ją ustawiłam i powiedziałam:

– Przepraszam. Zawsze to robię, jeśli się gdzieś dobrze czuję.

A Max zapewnił, że i on dobrze się czuł tego wieczoru.

Potem zamilkliśmy i staliśmy tak w ciemności na dworze. I zanim Max zdążył coś zrobić albo czegoś nie zrobić, wsiadłam na rower i pojechałam do domu.

Tej nocy znów nie spałam dobrze. Musiałam się w końcu zastanowić.

I znów obudziłam się bardzo wcześnie. Promienie słońca jeszcze niepewnie obmacywały ścianę pokoju. Wstałam, narzuciłam na siebie złotą balową suknię matki, popedałowałam nad jezioro, popływałam w jedną i drugą stronę, znów spotkałam tych samych właścicieli psów, co wczoraj, ale Maxa nie. Wróciłam do domu, zaparzyłam herbatę, włożyłam ser pomiędzy dwie kromki czarnego chleba i ustawiłam wszystko na tacy. Zaniosłam to przez sień na łączkę w sadzie za domem. Stało tam kilka zniszczonych przez wiatr ogrodowych mebli. Postawiłam w słońcu dwa białe rozkładane krzesła, na jednym umieściłam tacę, na drugim usiadłam. Moje gołe stopy były mokre od rosy i dół sukienki też. Wprawdzie trawa już od jakiegoś czasu nie była tu koszona, ale z pewnością nie dłużej niż od czterech, pięciu tygodni. Piłam swoją herbatę z mlekiem od pana Lexowa, przyglądałam się starym jabłoniom i rozmyślałam o babce Bercie.

Po tym, gdy pewnego jesiennego dnia podczas zbioru jabłek spadła z drzewa, nie była już taka jak dawniej. Oczywiście, z początku jeszcze nikt nie zdawał sobie z tego sprawy, a ona sama najmniej. Ale od czasu tego wydarzenia często bolało ją biodro, nagle nie wiedziała, czy brała już swoje tabletki przeciwbólowe, czy nie. Wciąż pytała Hinnerka, czy je zażyła. Hinnerkowi brakowało cierpliwości i odpowiadał z rozdrażnieniem. Bertha bała się jego złości, bo mogłaby przysiąc, że jeszcze go o to nie pytała. Ponieważ Hinnerk wciąż przewracał oczami, gdy słyszał jej pytanie, przestała pytać, ale czuła się niepewnie. Nie znajdowała swoich okularów albo torebki, albo kluczy do domu. Myliła terminy i nagle również nazwisko sekretarki Hinnerka, która już od ponad trzydziestu lat pracowała w kancelarii, nie chciało jej przyjść do głowy. To wszystko sprawiło, że najpierw stała się nerwowa, zaczęła się zamartwiać. W końcu, gdy zauważyła, że jest coraz gorzej i nie było nikogo, kto mógłby jej pomóc albo choćby z nią o tym porozmawiać, kiedy całe fragmenty życia, nie tylko obecnego, ale też wcześniejszego, po prostu zniknęły, bardzo się przestraszyła. Strach doprowadzał ją do częstego płaczu, rankiem leżała z bijącym sercem w łóżku i po prostu nie chciała wstać. Hinnerk zaczął się za nią wstydzić i wymyślać jej cichym głosem. Nie robiła mu już śniadań. Droga z kuchni do jadalni była długa, i gdy Bertha znajdowała się w jednym pomieszczeniu, zupełnie nie wiedziała, co chciała przynieść z tego drugiego. Hinnerk przyzwyczaił się do tego, że kubek mleka, który zawsze wypijał rankiem, nalewał sobie sam, a potem u piekarza naprzeciwko kancelarii kupował bułeczki z rodzynkami. Właściwie nie musiał już pracować, ale przebywanie z Berthą i słuchanie odgłosu jej niepewnych kroków uważał za nieprzyjemne. Ona jak niespokojny duch wchodziła po schodach na górę i schodziła, szukała czegoś w szafach, grzebała w starych rzeczach, przekładała je i zostawiała. Niekiedy trafiała też do sypialni, gdzie wyciągała z szaf wciąż nowe sukienki. Gdy byli w ogrodzie, rzucała się na obcych, którzy przechodzili obok podjazdu, żeby pozdrowić ich serdecznymi, a jednocześnie niepełnymi zdaniami, jak gdyby byli z nią zaprzyjaźnieni od niepamiętnych lat.

– Och. To przecież mój ukochany mąż – wołała nad krzakiem głogu.

Spacerowicz oglądał się przerażony, żeby zobaczyć, do kogo ta starsza dama zwraca się z promiennym uśmiechem. Pomieszanie Berthy było dla Hinnerka kłopotliwe, bo nie chodziło przecież o żadną porządną chorobę z bólami i lekarstwami. Ta choroba napełniała go gniewem i wstydem.

Moja matka mieszkała daleko. Inga w mieście bardzo była zajęta swoją fotografiką. Harriet tak czy owak szybowała ponad wszystkimi sprawami, zawsze przechodziła jakieś fazy i w każdej miała nowego mężczyznę, co doprowadzało Hinnerka do większej wściekłości niż wszystko inne. Dzwonił więc od czasu do czasu do mojej matki i klął na Berthę, ale nie zdradził swojego rosnącego zaniepokojenia. Inga pierwsza zauważyła, że Bertha potrzebuje pomocy. Że również Hinnerk potrzebował pomocy, zauważyłyśmy dopiero, kiedy już właściwie stało się za późno. To była musztarda po obiedzie. Gdy Bertha jadła obiad, nie chciała zaplamić obrusu. Jeśli się to zdarzyło, podrywała się i szukała szmatki, ale zazwyczaj już nie wracała do stołu. A jeśli nawet, to nie ze szmatką, tylko z jakimś garnkiem, torebką ryżu na mleku albo damską pończochą. Gdy była zdania, że moje rękawy są za długie i martwiła się, że mogłyby pobrudzić się jedzeniem, mówiła:

— Trzeba za tym pójść, bo się przypali.

Ale my rozumieliśmy, co miała na myśli, i podwijaliśmy rękawy. Potem już nam się nie udawało odgadnąć, o co chodzi, a ona się złościła i odchodziła albo zapadała się w sobie i płakała bezgłośnie.

Jedna z jej koleżanek, Thede Gottfried, trzy razy w tygodniu przychodziła posprzątać, zrobić zakupy i pójść z nią na spacer. W którymś momencie Bertha zaczęła uciekać. Wychodziła na ulicę, błądziła i nie znajdowała drogi powrotnej do domu, w którym wyrosła. Hinnerk codziennie musiał jej szukać, najczęściej była jednak wtedy gdzieś w domu albo w ogrodzie, ale i jedno, i drugie było dostatecznie duże, żeby poszukiwania trwały długo. We wsi prawie wszyscy ją znali, więc wcześniej czy później ktoś odprowadzał ją do domu, ale kiedyś przyprowadziła rower, który do niej nie należał. Innym razem wyszła nocą. Ale samochód na szczęście zahamował na czas. Zaczęła się moczyć, myła ręce w sedesie i wciąż wrzucała do toalety drobne rzeczy: koperty, gumki, zepsute pinezki, chwasty. Sto razy w ciągu dnia przegrzebywała swoje torebki w poszukiwaniu chusteczki do nosa, a kiedy żadnej tam nie było, bo je kilka minut wcześnie wyjęła i przełożyła do innej torebki, wpadała w rozpacz. Nie wiedziała, co się z nią dzieje, nikt z nią o tym nie rozmawiał, a jednocześnie czuła, że coś jest nie w porządku. Czasem pytała ciotki albo moją matkę, gdy przyjeżdżały z wizytą, szeptem i z lękiem na twarzy: „Co to będzie?" albo „Teraz już tak zostanie?", albo „Ale kiedyś tak nie było, miałam jeszcze wszystko, teraz nie mam nic". Płakała kilka razy w ciągu dnia, stała się lękliwa, zimny pot wciąż występował jej na czoło, a jej nieustanne zdenerwowanie rozładowywało się w nagłym zrywaniu się i wychodzeniu, szybkich akcjach i niespokojnych wędrówkach po wielkim, pustym domu. Ciotki próbowały ją uspokajać, mówiły, że to kwestia wieku i że w gruncie rzeczy ma się przecież całkiem dobrze. I chociaż chodziła do lekarza, słowo „choroba" nigdy nie padło w jej obecności.

Hinnerk był sześć lat starszy od żony. Gdy w wieku siedemdziesięciu pięciu lat dostał zawału, właściwie przyszło to chyba za wcześnie, bo – jak twierdził – był w gruncie rzeczy całkiem zdrowy. Ale lekarze dawali do zrozumienia, że to mógł być nie pierwszy zawał. Kto jednak miałby zauważyć ten albo wcześniejsze? Leżał przez dwa tygodnie w szpitalu, a moja matka do niego jeździła. Trzymała go za rękę, a on się bał, bo wiedział, że to może być koniec. Pewnego popołudnia wypowiedział tylko imię mojej matki, z tą czułością, do której był zdolny, ale którą rzadko okazywał, i umarł. W tym czasie ciotki zostały z Berthą. Było im smutno, że nie mogły się pożegnać z ojcem, były smutne i rozgniewane, że miał swoją ukochaną córkę, że dostały od niego za mało, przede wszystkim oczywiście za mało miłości, że teraz został im tylko wrak mojej babki, że moja matka znów mogła pofrunąć na południe, gdzie czekali na nią wierny mąż i córka, którzy zapewnią jej pociechę i wsparcie. Ten żal i ten gniew kazały im powiedzieć siostrze straszne rzeczy. Zarzucały jej, że miga się od odpowiedzialności za matkę. Babka stała przy tym i płakała, nie rozumiała, o co chodzi, ale słyszała gorycz, zawiedzioną miłość, która brzmiała w głosach jej córek. Christa przez cały ten czas, który Bertha jeszcze przeżyła, a to było czternaście lat, miała napięte stosunki z siostrami. Po każdym telefonie i przed każdą wizytą nie mogła spać po nocach. Gdy ciotki dwa lata po śmierci Rosmarie postanowiły oddać Berthę do domu opieki, z kpiną zapytały przedtem Christę, czy może teraz w końcu zechce wziąć matkę do siebie. Inga i Harriet dostatecznie długo wszak się o nią troszczyły. W ostatnim czasie trzy siostry znów się ostrożnie do siebie zbliżyły. Były siostrami, miały po pięćdziesiątce, pogrzebały wiele marzeń, pogrzebały Rosmarie, a teraz, teraz pogrzebały swoją matkę.

Trawa między jabłoniami była o wiele wyższa niż tutaj, za domem. Musiałam się jeszcze raz spotkać z Lexowem. Tak łatwo mi nie umknie. Piłam herbatę, jadłam kanapkę, myślałam trochę o Maksie i kręciłam głową. Co to właściwie było?

Promienie słońca stały się ostrzejsze. Wzięłam tacę i już chciałam uroczyście – w mojej złotej sukience nie dało się inaczej – ruszyć do domu, kiedy zobaczyłam poprzez drzewa stary kurnik. Na szarym tynku coś było namalowane na czerwono. Przeszłam obok drzew owocowych do tego domku, w którym bawiły się lalkami już moja matka i jej siostry. Rosmarie, Mira i ja korzystałyśmy z niego tylko podczas deszczu. Dostrzegłam z daleka napis wykonany czerwoną farbą w sprayu, a potem słowo „Nazista". Przestraszona, odwróciłam się, jak gdybym oczekiwała, że zza krzaków czarnego bzu wyskoczy jeszcze ktoś ze sprayem. Próbowałam kamieniem zetrzeć to słowo, ale się nie udało. Gdy schyliłam się po kamień, nastąpiłam na brzeg sukienki i przy wyprostowaniu się rozdarłam delikatny materiał. Ten dźwięk wydawał się krzykiem. Poszłam do sieni i próbowałam dać sobie radę w ciemności, bo moje oczy nie przyzwyczaiły się jeszcze do mroku wnętrza. Gdzieś we wnęce przy drabinach widziałam wiadra z farbą. Otworzyłam pierwsze z nich, ale resztka białej farby była twarda jak kamień i popękana. W pozostałych wiadrach sprawy miały się nie inaczej. Musiałam się więc o to zatroszczyć później. Kto ten napis namalował? Ktoś ze wsi? Prawicowiec czy lewicowiec? Bezmyślny wandal czy ktoś, kto traktował swój czyn poważnie? Zapominanie to u nas rodzinna skłonność. Może ktoś chciał odświeżyć nam pamięć.

Żeby o tym nie myśleć, poszłam do gabinetu dziadka Hinnerka. Chciałam przeszukać jego biurko. Za prawą dolną klapką chował kiedyś słodycze, after eight, toblerone i kilka puszek kolorowych karmelków od MacIntosha. Uwielbiałam te puszki, tę damę w cudownej sukience lila i bryczkę zaprzężoną w konie. Uważałam, że mężczyzna trochę przeszkadza na tym obrazku ze swoim uśmiechem i wysokim kapeluszem, ale wpadałam w zachwyt nad delikatną i zwiewną parasolką damy oraz kształtnymi końskimi nogami. A nie było tam czasem i czarnego pieska? Tylko wąska talia damy w lila była niepokojąca. Jej promienny uśmiech mnie nie zwiódł i nie pozwolił zapomnieć, że w każdej chwili mogła się przełamać w połowie. Trudno było dłużej na to patrzeć. Cukierki sklejały nam zęby, a jeśli się miało pecha, dostawało się tylko te z zimnym, lepkim białawym nadzieniem. Ja najchętniej jadłam czerwone kwadratowe, Rosmarie lubiła złote talary, tylko Mira trzymała się after eight. Ale od czasu do czasu, kiedy dziadek sam częstował, brała jeden z lepkich ciemnofioletowych cukierków z krokantem.

Klucz tkwił jeszcze w szafce biurka. Hinnerk nigdy nie zadawał sobie trudu, żeby coś zamykać. I tak nikt nie odważyłby się grzebać w jego rzeczach. Wybuchy gniewu dziadka nie różniły się, niezależnie od tego, czy chodziło o kolegów i podwładnych, wnuczki i ich przyjaciółki, żonę czy sprzątaczkę, przyjaciela czy wroga. W stosunku do córek też się nie powstrzymywał, nieważne, czy ich mężowie i dzieci akurat byli obecni, czy nie. Hinnerk był człowiekiem litery prawa, co znaczyło, że był literą prawa. Tak uważał. Ale Harriet miała inne zdanie.

Otworzyłam biurko i doleciał mnie znany zapach politury, akt i mięty pieprzowej. Usiadłam na podłodze, wciągnęłam ten zapach i zajrzałam do szafki. Rzeczywiście, stała tam puszka od MacIntosha, pusta, a za nią leżała jakaś cienka szara książka. Wyciągnęłam ją, otworzyłam i zobaczyłam, że Hinnerk napisał atramentem swoje nazwisko. Dziennik? Nie, to nie był dziennik. To były wiersze.

Rozdział VII

Harriet powiedziała nam kiedyś o wierszach Hinnerka, ale choć mieszkała w tym samym domu, co on, niewiele z nim rozmawiała, a jeszcze mniej o nim, więc uważałyśmy wieść o wierszach za dziwną.

Stosunek Harriet do ojca wyrażał się w jego unikaniu. W dzieciństwie w jego obecności nie zastygała w bezruchu jak Christa i Inga. Nie płakała też jak Bertha. Uciekała. Kiedy na nią krzyczał albo zamykał w pokoju, przymykała oczy i zasypiała. Naprawdę, zasypiała. To nie był żaden trans, żadna nieświadomość, to był sen. Sama Harriet nazywała to lataniem i utrzymywała, że za każdym razem we śnie latała najpierw nad sadem, a potem nad jabłoniami powoli do nieba. Tam robiła okrążenie nad łąkami i lądowała z powrotem dopiero, gdy ojciec z głośnym trzaśnięciem drzwi wychodził z pokoju. Hinnerk, chociaż w dzieciństwie bity przez ojca, nigdy – bez względu na to, jak straszliwy był jego gniew – człowieka nie tknął. Groził laniem, nazywanym przez siebie karą cielesną, pienił się i pluł, jego głos się łamał lub stawał tak głośny, że aż uszy bolały, bywał cyniczny i cichy, potrafił szeptać najgorsze rzeczy, ale nie bił, nigdy nawet nie podniósł ręki. Harriet wykorzystywała to i zasypiała, by uciec.

*

Należała do dziewczyn, które nie potrafią czegoś zwyczajnie lubić albo uważać po prostu za dobre, lecz od razu wpadają w zachwyt. Na widok dzieci i małych zwierząt wprost wychodziła z siebie. Po maturze postanowiła studiować weterynarię, chociaż nie miała talentu do nauk przyrodniczych. Jeszcze gorszy od jej mniej niż przeciętnych zdolności do logicznego kojarzenia był fakt, że w obliczu chorego stworzenia natychmiast wybuchała płaczem. Już w drugim tygodniu nauki profesorka musiała jej wyjaśnić, że nie studiuje po to, żeby kochać zwierzęta, tylko żeby je leczyć. Moja matka opowiadała, jak Harriet po pierwszej godzinie ćwiczeń przy padlinie czarno-białego królika rzuciła pod nogi prowadzącego swój kitel, a wraz z kitlem studia. Gdy wychodziła z sali ćwiczeń, docent patrzył za nią z łagodną konsternacją. Nigdy tam nie wróciła. Moja matka opowiadała tę historię zawsze w obecności Harriet i zawsze za jej chichotliwą zgodą. Nie wiem, czy Harriet ją o tym powiadomiła, czy też matka znała ją od jakiejś jej koleżanki. Również Rosmarie lubiła tę historię, a moja matka zawsze ją trochę zmieniała. Czasem w opowieści przeprowadzano sekcję kota, czasem szczenięcia, a raz nawet malutkiego prosiaka.

Potem Harriet studiowała lingwistykę, język angielski i francuski, i nie została nauczycielką, jak właściwie chciał ojciec, tylko tłumaczką. To było coś, co potrafiła robić bardzo dobrze. Była w stanie wniknąć w myśli i uczucia innych – urodzona mediatorka pomiędzy dwoma światami, które nie potrafiły się ze sobą porozumieć. Mediowała między siostrami. Między swoją matką i krawcową, która przybywała do domu dwa razy w roku. Pomiędzy ojcem a swoimi nauczycielami. Ponieważ rozumiała wszystko i wszystkich, uważała, że trudno wypracować sobie własne stanowisko. Stanowisko wymagało stania, a do tego nie była stworzona. Starała się unosić. I to nad wszelkimi sprawami, oczywiście w ciągłym zagrożeniu upadkiem i zderzeniem z ziemią. Ale, o dziwo, upadki rzadko były dotkliwe, właściwie raczej osuwała się ruchem wirowym. Dotarłszy na dół, wyglądała wprawdzie na trochę rozwichrzoną i zmęczoną, ale w żadnym wypadku pogruchotaną.

Jako jedynej spośród tych trzech dziewcząt Harriet zdarzało się coś takiego, jak historie z chłopakami. Christa była zbyt nieśmiała. Inga miała wielbicieli, którzy na nią patrzyli, ale nie wolno im było jej dotknąć, i którzy prawdopodobnie wcale na to nie nastawali. Harriet nie była kokietką ani gorącokrwistą kochanką, ale wystarczyło ją tylko docenić w określony sposób i natychmiast w jej brzuchu zaczynały latać motyle. Bez trudu dawała się porwać i była zdolna do ekstazy, która chłopcom niemal zapierała dech. Chyba nie była osobą, o której się mówi, że jest dobra w łóżku, chociaż i tak mogło być, ale sprawiała, że mężczyźni czuli się przy niej jak prawdziwi mężczyźni. I to było chyba jeszcze lepsze. Do tego doszedł fakt, że jako najmłodsza z sióstr Harriet wstrzeliła się w ten okres, w którym kwiaty, seks i pokój odgrywały nagle ważną rolę. Oczywiście, nie w Bootshaven, a już najmniej w domu przy Geestestraße. W odróżnieniu od Christy i Ingi Harriet studiowała w Getyndze, miała w szafie kilka indyjskich bluzek i ze szczególnym upodobaniem nosiła spodnie, które u góry były obcisłe, u dołu szerokie i składały się z jednakowej wielkości prostokątnych skórzanych łat. I zaczęła farbować swoje kasztanowe włosy henną. Prawdopodobnie była hippiską, ale w jej osobowości nie nastąpił żaden przełom, żaden skok. Była dokładnie taka, jaka była i bez tego.

Chociaż Ingę i Harriet dzieliły tylko trzy lata, a Christę i Harriet – pięć, wydawało się, że dzieli je całe pokolenie. Ponieważ jednak Harriet pochodziła z rodziny, z której pochodziła, jej bycie hippiską mieściło się w umiarkowanych granicach. Nie brała twardych narkotyków, co najwyżej pijała trochę herbatki z haszyszu, której jednak nie lubiła i od której przede wszystkim dopadał ją głód. Jej odurzona dusza nie miała czasu rozwinąć skrzydeł i pożeglować poza horyzont, ponieważ Harriet ustawicznie musiała napełniać brzuch jedzeniem. Mieszkała razem z inną dziewczyną, Cornelią, nieco starszą od Harriet, poważną i bardzo nieśmiałą. Męskie wizyty nie wchodziły w rachubę. Ale też tak wielu tych panów nie było.

Potem jednak pojawił się student medycyny Friedrich Quast. Ciotka Inga opowiedziała mi o nim dopiero przed kilkoma laty, a mianowicie tego wieczoru, kiedy pokazywała mi portrety Berthy. Chyba z powodu jej namiętnego głosu i pełnej napięcia natury musiałam sobie wyobrazić miłosną historię Harriet w pełnych ognia barwach.

Friedrich Quast był rudy i miał białą skórę, w niektórych miejscach połyskującą sinawo. Był milczący i zamknięty w sobie. Tylko jego mocne, pokryte piegami dłonie okazały się żwawe, pewne i dokładnie wiedziały, gdzie zmierzają, a przede wszystkim, co miały do zrobienia, gdy znalazły się tam, gdzie chciały być. Harriet czuła fascynację. To było coś zupełnie innego niż pospieszny i – dodajmy – wzruszający, niezręczny dotyk wcześniejszych adoratorów.

Zobaczyła go po raz pierwszy na imprezie u pewnej przyjaciółki. Mieszkał razem z bratem tejże. Stał obojętny z boku i patrzył na gości. Harriet uznała go za aroganckiego i brzydkiego. Był wysoki i chudy, miał nos długi i wygięty jak ptasi dziób. Opierał się o ścianę, jak gdyby nie mógł ustać na swoich żurawich nogach.

Gdy Harriet chciała iść do domu, stał na dole przy drzwiach wejściowych i palił. Bez słowa poczęstował ją papierosem, którego wzięła, ponieważ była ciekawa i pochlebiło jej to. Gdy podał jej ogień i dłonią, która miała osłonić płomyk zapałki przed wiatrem, pogłaskał ją po policzku, przy czym nie udawał, że stało się to przez nieuwagę, z miejsca zmiękły jej kolana.

Zabrała go ze sobą do domu, to znaczy, gdy ona wyszła, on po prostu poszedł z nią. I dla obojga było jasne, że nie odprowadza jej dlatego, że jest nadzwyczaj uprzejmym człowiekiem. Był piątkowy wieczór, współlokatorka Cornelia, jak w każdy weekend, wyjechała do rodziców. Friedrich Quast i Harriet zostali razem w mieszkaniu na dwie noce i dwa dni. Friedrich obojętny i posługujący się monosylabami, kiedy był ubrany, wykazywał się zapałem i fantazją, gdy nagi leżał z Harriet w łóżku. Jego piękne dłonie głaskały, uciskały, drapały, opukiwały jej ciało ze stanowczością, która zapierała jej dech. Wydawało się, że zna jej ciało o wiele lepiej niż ona sama. Lizał i obwąchiwał, badał w niej wszystko z zainteresowaniem i ciekawością, która jednak nie miała nic wspólnego z radością odkrywania właściwą małemu chłopcu, lecz o wiele bardziej z rozkosznym skupieniem smakosza.

Harriet zachowała ten weekend w pamięci na zawsze jako czas, kiedy nauczyła się sama o sobie najwięcej. Jej seksualne wyzwolenie miało mniej wspólnego z latami sześćdziesiątymi niż z tymi dwiema nocami i dwoma dniami. Jeśli ona i Friedrich Quast akurat ze sobą nie spali, to zjadali kilka kanapek i jabłek, które Harriet zawsze miała w mieszkaniu. Friedrich palił. Rozmawiali niewiele. Chociaż on był medykiem, nie poruszyli tematu zapobiegania ciąży. Harriet nawet o tym nie myślała. W niedzielne popołudnie Friedrich Quast wstał, włożył papierosa pomiędzy wargi, ubrał się i pochylił nad Harriet, która patrzyła na niego zdziwiona. Spojrzał na nią, powiedział, że musi iść, szybko, ale ciepło pocałował ją w usta i zniknął. Harriet pozostała w łóżku, nie odczuwając zaniepokojenia. Słyszała, że Quast spotkał Cornelię na klatce schodowej. Słyszała, jak kroki obojga na chwilę milkną, dobiegło ją jakieś mamrotanie, potem słyszała, że Friedrich szybko zszedł na dół, a dopiero po pewnym czasie dały się słyszeć kroki Cornelii miarowo stąpającej na górę. Ojej – pomyślała Harriet. Ojejejej. I rzeczywiście, wkrótce potem usłyszała pukanie do drzwi. Cornelia była przerażona, zastawszy koleżankę w łóżku w biały dzień, z rozwichrzonymi włosami, zaróżowionymi policzkami, ciemnymi cieniami pod oczami, ale pełną blasku, z ustami czerwonymi, prawie otartymi. Zapach dymu i seksu uderzył w nią jak grom i kilka razy otwierała usta, by coś powiedzieć. Spojrzała na Harriet prawie z nienawiścią i zamknęła za sobą drzwi. Harriet czuła się źle, ale właściwie nie aż tak źle, jak się tego obawiała.

Potem czuła się o wiele gorzej, niż oczekiwała, gdy Friedrich nie zameldował się u niej ani następnego, ani kolejnego dnia. Najbliższy weekend spędziła znów w łóżku, tym razem sama i tak straszliwie nieszczęśliwa, że nawet Cornelia się martwiła i niemalże miała nadzieję, że ten mężczyzna się pokaże. Minął kolejny tydzień. Harriet tymczasem dowiedziała się, gdzie on mieszka, i napisała do niego dwa listy. W sobotni wieczór zadzwonił dzwonek u drzwi. Gdy zobaczyła, kto to, zwymiotowała. Friedrich przytrzymał jej głowę, zaprowadził z powrotem do łóżka, otworzył okno i paląc przy nim, czekał, aż jej twarz znowu nabierze kolorów. Potem podszedł do łóżka i położył dłoń na lewej piersi Harriet. Jej oddech był przyspieszony.

Został do poniedziałkowego ranka. Z powodu bólu, jaki cierpiała przez te dwa tygodnie, wszystko było jeszcze bardziej intensywne niż za pierwszym razem. Pojęła, dlaczego namiętność jest związana z cierpieniem. Gdy wychodził, z lękiem zadała pytanie, czy wróci. Friedrich skinął głową i zniknął. Znów na dwa tygodnie. Harriet próbowała wziąć się w garść, ale się nie udawało, dzień po dniu coraz bardziej się rozpadała. I zawsze, gdy starała się zatrzymać jakiś kawałek siebie, coś wyślizgiwało się w innym miejscu. A ledwie to chwyciła, odpadało to, co kurczowo przytrzymywała na początku. Miała złe oceny. Cornelia poprosiła ją, żeby poszukała sobie innego mieszkania. Rodzice robili jej wyrzuty, bo oblała egzamin. Wychudła, a jej włosy zmatowiały. Gdy po dwóch tygodniach Friedrich znów się pojawił, Cornelia stanęła przed drzwiami pokoju Harriet i zawołała wysokim głosem, że w przyszłym tygodniu wyprowadza się do innej koleżanki. Ponieważ ma egzaminy, również w weekendy będzie zostawać w Getyndze i potrzebuje spokoju. Harriet zawstydziła się, ale ulga, że znów widzi Friedricha, była silniejsza. Zapytała go, czy chce się do niej wprowadzić. Skinął głową. Wybuchł skandal. Hinnerk, gdy się o tym dowiedział, szalał, natychmiast zmienił swój testament. Wydziedziczył Harriet. Miała już nigdy nie wracać do domu. Nawet na Boże Narodzenie.

Friedrich mieszkał u Harriet, ale czy można było powiedzieć, że naprawdę się wprowadził? Spał tam i włożył kilka ubrań do dawnej szafy Cornelii. Ale swoich książek, swoich zdjęć, pisaków, koców, poduszek, wszystkiego tego, czego używa w życiu mężczyzna, który się urządził, tego wszystkiego nie przyniósł. Harriet była wstrząśnięta, ale Friedrich powiedział, że nie potrzebuje niczego więcej, niż przyniósł. Harriet nawet kiedyś potajemnie poszła do mieszkania jego poprzedniego współlokatora, brata koleżanki, ale on też już tam nie mieszkał. Skończył studia i wrócił do Sauerlandu, żeby podjąć pracę w firmie ojca. Nikt w tym domu nie wiedział niczego bliższego o Friedrichu Quaste. Gdy Harriet zapytała go kiedyś, gdzie jest reszta jego rzeczy, odpowiedział, że swoje książki ma w małym pokoiku na wydziale medycznym, gdzie prowadził kurs dla pierwszego semestru. A reszta? Reszta miała być tymczasowo zmagazynowana u jakiejś przyjaciółki jego matki. Harriet poczuła zazdrość. Podejrzewała, że nie jest jedyną kobietą, z którą on się spotyka. I chociaż Friedrich teraz bywał u niej częściej, i chociaż sypiali razem, była coraz bardziej przekonana, że musi mieć inne kobiety. Czasem świadczył o tym obcy zapach, czasem mimochodem otwarty list albo błyskawiczne wyjście po ukradkowym spojrzeniu na zegarek. Harriet zamykała oczy. I odlatywała stamtąd.

W którymś momencie otworzyła oczy, by stwierdzić, że została porzucona w samym środku lotu. Porzucona w ciąży. Friedrich zauważył to, zanim ona sama się zorientowała. Tak, w ostatnim czasie częściej krwawiły jej dziąsła, miała też ich stan zapalny. Tak, że była zmęczona, też stwierdziła, ale sądziła, że to skutek nocy, podczas których uprawiała seks z Friedrichem, zamiast spać. No i skutek latania. Tego, że jej biust się powiększył, nie zauważyła, coś tam owszem czuła, ale się nad tym nie zastanawiała. Friedrich nic nie powiedział, tylko popatrzył, zapytał o cykl. Harriet, rozespana, wzruszyła ramionami i zamknęła oczy. Tej nocy ją obudził, położył się na jej plecach, wziął ją czule, a przy tym energicznie od tyłu i jeszcze tej samej nocy opuścił mieszkanie. Harriet nie widziała w tym nic złego. Było to wprawdzie męczące, ale nieszczególnie dziwne. Gdy jednak zajrzała do jego szafy i zobaczyła, że nawet tych kilka marnych ubrań zniknęło, zwymiotowała. Ale tym razem mdłości nie ustąpiły szybko. Wymiotowała rankiem, w południe, wieczorem i nawet nocą. Kiedy klęczała w łazience nad miską sedesową, nagle przypomniała sobie jego ostatnie pytanie. Zacisnęła oczy mocno, jak tylko mogła, ale już nie odleciała. Miała nadzieję, że on wróci, ale nie wierzyła w to. I to przeczucie – sama Harriet nazywała je intuicją – nie zawiodło jej.

Dwa dziesiątki lat później, Rosmarie nie żyła już od pięciu lat, Inga przechodziła w Bremie obok jakiegoś gabinetu lekarskiego. Przeczytała szyld raczej z nawyku niż ciekawości. I gdy była już przy następnym skrzyżowaniu, olśniło ją nagle, co za nazwisko widniało na szyldzie. Wróciła. I rzeczywiście: dr Friedrich Quast, kardiolog. Oczywiście. Specjalista od serc – pomyślała. Fuknęła z pogardą i chciała pójść dalej. Ale przemyślała to i zadzwoniła do swojej siostry Harriet.

Ciężarna Harriet nie czuła się totalnie rozbita, gdy stało się jasne, że została całkiem sama i będzie wychowywać nieślubne dziecko. Opluwanie kiedyś się kończy. Zdała swój egzamin, i to nawet całkiem dobrze. Spojrzenia i szepty koleżanek nie martwiły jej aż tak, jak się obawiała, i w ogóle nie plotkowano tak wiele, jak oczekiwała. Tylko kiedy przypadkiem spotkała w mieście Cornelię, a ta przeszła obok niej, kręcąc głową i rzucając znaczące spojrzenie na jej brzuch, usiadła w jakiejś kawiarni i rozpłakała się. Przemogła się i napisała do rodziców, przy czym nie była przygotowana na odpowiedź, jaką otrzymała. Bertha napisała córce, że życzy sobie, by ta wróciła do domu. Rozmawiała z Hinnerkiem, który nie jest szczęśliwy w związku z tą całą historią, ale – i Bertha jedyny raz w swoim życiu użyła tego argumentu przeciwko mężowi – ten dom należał przecież nie tylko do Hinnerka; był przede wszystkim jej, Berthy, domem, rodzinnym domem, dostatecznie dużym zarówno dla jej córki, jak też wnuka.

Harriet pojechała więc z powrotem do Bootshaven. Gdy Hinnerk zobaczył jej brzuch, odwrócił się na pięcie i zamknął na resztę dnia w swoim gabinecie. Ale nic nie powiedział. Bertha postawiła na swoim. Nikt nigdy się nie dowiedział, jak wysoka była cena, którą musiała za to zapłacić.

Podczas ciąży Harriet ojciec nie zamienił z nią ani słowa. Bertha udawała, że tego nie zauważa, i szczebiotała z obydwojgiem, ale wieczorami wcześnie czuła się zmęczona, jej jasne włosy wysuwały się z natapirowanej, wysoko upiętej fryzury, i wyglądała na zmordowaną. Jednak jej najmłodsza córka tego nie zauważała. Jakby wpełzła w siebie i szczelnie się zamknęła. Rankami siedziała w swoim dawnym pokoju i tłumaczyła. Dzięki przyjacielskiemu pośrednictwu pewnego profesora, który cenił jej pracę – albo po prostu tylko było mu jej żal – nawiązała współpracę z wydawnictwem, które specjalizowało się w biografiach. Ten gatunek literatury odpowiadał Harriet, a tłumaczenie szło jej jak z płatka. Stukała więc w klawisze w swojej facjatce na górze, obłożona encyklopediami i słownikami, z dziesięcioma palcami na szarej Olympii skłaniała jedno obce życie za drugim do zmartwychwstania w nowym języku.

Na obiad schodziła na dół. Matka i córka jadły razem w kuchni. Odkąd Harriet znów była w domu, Hinnerk zostawał w południe w biurze. Harriet zmywała, a Bertha kładła się na chwilę na sofie w salonie. Potem Harriet wracała do swej pracy, ale wykonywała ją tylko do wczesnego popołudnia. Około czwartej kończyła, zakładała na maszynę do pisania miękką plastikową osłonę i dosuwała krzesło do stolika. Tymczasem stała się już dość ociężała i powoli człapała w dół po schodach. Kiedy Bertha słyszała kroki córki, odkładała fasolkę, którą akurat kroiła, odstawiała ciężki kosz z praniem, z którym akurat chciała przejść przez sień, albo chowała ołówek, którym akurat coś zapisywała w domowych księgach. Siedziała cichutko, nasłuchiwała i chwytała się za szyję. Czasem z jej krtani wyrywał się suchy szloch.

Harriet niczego nie zauważała. Wychodziła powoli do ogrodu. Było późne lato, brała więc motyczkę i pieliła grządki. Schylanie się stało się jednak trudne. Jeśli nie rozstawiła szeroko nóg, tak że pomiędzy nimi znalazło się miejsce na brzuch, brakowało jej powietrza i czuła ból. Mimo to zwalczała chwasty. Dzień po dniu, grządka po grządce. A kiedy skończyła, zaczynała od początku. Również w deszczowe dni szła na tył domu, na pastwisko, gdzie kiedy indziej zazwyczaj wisiało na sznurku pranie, i brodziła przez wysoką trawę do krzaków jeżyn, żeby nazbierać ich owoców. W kroplach deszczu czarne jagody wydawały się jeszcze większe, stawały się ciężkie i miękkie. Sok i woda wpadały Harriet do rękawów. A przy każdej jeżynie, którą zerwała, krzak otrząsał się jak zmokły pies.

Po godzinie czy dwóch spędzonych w ogrodzie siadała na starym rozkładanym krześle czy ławce, opierała głowę o zadaszoną ścianę domu albo o pień drzewa i zasypiała. Drgały nad nią ważki, trzmiele zaplątywały się w jej rude włosy, ale nie czuła tego. Nie latała, nie marzyła, spała jak kamień.

Za to nocami ze snem było gorzej. Pod dachem panowało gorąco. Przykryta ciężką kołdrą, czuła, że pod piersiami zbiera się pot. Rozgrzana leżała na swoim wielkim brzuchu. Nie dało się tak spać, a kiedy leżała na plecach, kręciło jej się w głowie. Od leżenia na boku po krótkiej chwili bolały ją stawy, kolano, biodro i ramię. Nie wiedziała poza tym, co ma zrobić z ręką, w której traciła czucie, zanim zasnęła, i to było nieprzyjemne. Każdej nocy Harriet wstawała, ciężko schodziła po schodach, żeby pójść do toalety. Ale gdy zaczęła wstawać dwa razy w nocy, wzięła w końcu nocnik, którego używała jako dziecko. Wtedy, kiedy droga na dół była za długa, zbyt stroma i za zimna, by pokonywać ją co noc. Gdy Harriet już wstała, nie szła od razu z powrotem do łóżka. Okna były otwarte, jednak chłodne nocne powietrze bardzo niezdecydowanie wpływało do pomieszczeń na górze. Harriet więc stawała w oknie, a przeciąg wydymał jej nocną koszulę jak wielki żagiel.

Rosmarie opowiadała, że Harriet mówiła jej kiedyś, że ludzie, którzy przechodzili ulicą, widzieli, jak biały upiór szybuje na strychu domu. To musiała być Harriet. Nigdy nie opuszczała gospodarstwa, i w ten sposób niektórzy mieszkańcy wsi nie zauważyli, że wróciła. Większość oczywiście wiedziała, również o jej stanie, i wiele się o tym mówiło.

To wtedy musiało się zacząć przestawianie książek w regałach na górze. Trwało przez kilka miesięcy. Co jakiś czas okazywało się, że wszystkie książki nagle stoją inaczej niż przedtem, i za każdym razem miało się wrażenie, że nie dzieje się to przypadkowo, tylko według jakiegoś określonego schematu. Czasem odnosiliśmy wrażenie, że decydował o nim kształt książek, czasem wygląd okładek, czasem uważaliśmy, że autorzy, którzy ze sobą sąsiadowali, mieliby sobie wiele do powiedzenia, innym razem stali blisko siebie akurat ci, którzy się nienawidzili i gardzili sobą wzajemnie.

Ale Harriet nigdy się nie przyznała.

– Dlaczego miałabym robić coś takiego? – zapytała swoją córkę i mnie i patrzyła na nas z przyjaznym zdziwieniem.

– A kto inny mógłby to robić? – zapytałyśmy w odpowiedzi.

– W końcu przecież latasz, kiedy śpisz – przekornie dodała Rosmarie.

Harriet głośno się roześmiała.

– Kto wam to powiedział?! – Jeszcze raz się roześmiała, pokręciła głową i wyszła z pokoju.

Ja jednak zawsze zadawałam sobie pytanie, kto naprawdę przestawiał książki na górze. Czy Bertha? Wtedy, kiedy przywożono ją z domu opieki? Teraz jednak klęczałam tu, na dole, przed biurkiem zmarłego dziadka i odczuwałam wyrzuty sumienia, bo znalazłam tomik wierszy, który napisał przed czterema dziesiątkami lat. Odłożyłam go z powrotem. Postanowiłam lekturę zostawić sobie na kiedy indziej. Teraz musiałam się zatroszczyć o kurnik.

Wzięłam swoją zieloną torbę z portmonetką w środku

i pojechałam. Przy wjeździe do miejscowości był olbrzymi sklep z materiałami budowlanymi. Nie przypinałam swojego roweru do stojaka, weszłam i złapałam wielkie wiadro farby. Lepsze byłyby dwa, ale na rower więcej niż jednego wiadra zabrać się nie da, a i tak nie byłam pewna, jak sobie poradzę z jego przewiezieniem. Chwyciłam jeszcze wałek do malowania oraz butelkę terpentyny i poszłam do kasy. Kasjerka, chyba w moim wieku, zlustrowała mnie i opuściła kąciki ust. Wyszłam ze swoimi zakupami. Dopiero przy próbie przymocowania wiadra z farbą do bagażnika, przy czym dół sukienki wkręcił mi się w łańcuch, stało się jasne, dlaczego kasjerka tak bezczelnie się na mnie gapiła. Wciąż miałam na sobie tę złotą sukienkę, a widok oddartej listwy – teraz jeszcze z czarnymi plamami smaru – nie przyczyniał się do wzmocnienia mojej pewności siebie i poprawienia nastroju. Wetknęłam wałek i terpentynę do torby, przewiesiłam ją sobie przez ramię, podkasałam sukienkę i wsunęłam w wycięcia na nogi w majtkach, żeby była krótsza. Przy wsiadaniu na ten męski rower ciężkie wiadro z farbą o mały włos nie zsunęło się z bagażnika. Zdążyłam je złapać, ale rower przechylił się przy tym niebezpiecznie i omal nie wjechał w jakiegoś niewinnego klienta sklepu. Ktoś za mną krzyknął, brzmiało to jak „głupia ćpunka". Ten mężczyzna prawdopodobnie sądził, że przez cały dzień siedzę po turecku z przyjaciółkami w garażu, by tam wywąchiwać jedno dziesięciolitrowe wiadro białej farby po drugim. Skonsternowana, wyciągnęłam rękę za siebie, mocno przycisnęłam wiadro do bagażnika i jechałam drogą do domu z jedną ręką na kierownicy i trochę spocona. Skręciłam w prawo, w ulicę Maxa. – Chciałam go zapytać, czy akta mojego dziadka są jeszcze w piwnicy biura. Ale tak naprawdę chciałam go tylko zobaczyć. Nocne rozmyślania nie doprowadziły mnie do żadnego wniosku. Tymczasem pasek torby boleśnie wrzynał mi się w szyję.

Sama torba podczas jazdy przeskakiwała z jednego kolana na drugie, przy czym sukienka powoli wysuwała się z majtek i znów wisiała przy łańcuchu roweru. A ja nie mogłam nic zrobić, ponieważ jedną ręką musiałam trzymać wiadro, a drugą kierownicę. Potem było już i tak wszystko jedno, bo akurat, kiedy już dojeżdżałam do domu Maxa, wleciała mi do oka mała czarna muszka. Potwornie mnie to szczypało i wkrótce już nic nie widziałam, bo oczy mi silnie łzawiły. Samochód parkował po prawej stronie – czy to dozwolone? Prawdopodobnie tak, ja w każdym razie jechałam po stronie przeciwnej. Puściłam wiadro, puściłam kierownicę, rower się przewrócił, a przedtem wiadro spadło na ulicę i zanim zdążyłam zawołać o pomoc, moja własna torba z ciężką butelką terpentyny trzasnęła mnie w twarz i oniemiałam. Nie powaliła mnie, bo na ziemię upadłam już wcześniej. Tymczasem również zawartość wiadra, pękniętego wskutek uderzenia, zdążyła się rozlać po ulicy, wpływając mi we włosy i do lewego ucha, na którym leżałam. Nie mogłam wstać, ponieważ moje stopy, a także torba zaplątały się w rower, nie mówiąc już o – kiedyś złotej – sukience. Nie miałam w planach długo tak leżeć. Chciałam się tylko zebrać, uporządkować swoje kończyny, a potem przemieścić się o parę metrów do domu. Wtedy prawym uchem usłyszałam kroki, lewym nie, bo była w nim biała farba.

– Iris? Iris, to ty? – pytał głos nade mną. To był głos Maxa.

Miałam poczucie, że nie zaprezentowałam się akurat z najlepszej strony, i już chciałam rozpocząć obszerne wyjaśnienia, kiedy nagle zaczęłam ryczeć. W ten oto sposób, na szczęście, wypłynęła z mojego oka mała czarna muszka, i już nie musiałam tak idiotycznie mrugać.

Kiedy oddawałam się tym i innym przemyśleniom, Max wyplątał rower z sukienki i zdjął pasek mojej torby z kierownicy. Wyciągnął moje stopy z ramy i zabrał torbę z mojej głowy. Oparł rower o krzak przed swoim domem i przykląkł obok mnie na ulicy. Jeśli oczekiwałam, że zaniesie mnie w swoich silnych ramionach w stronę zachodzącego słońca, to się myliłam. Prawdopodobnie nie chciał pomazać białą farbą swojej ładnej niebieskiej koszuli. Próbowałam wstać, i całkiem dobrze mi to poszło, teraz, kiedy rower nie krępował mi ruchów.

– Możesz chodzić? Co cię boli?

Wszystko bolało, ale chodzić mogłam. Wziął mnie pod łokieć i popchnął do swego ogrodu. Przedtem jeszcze wyrzucił puste wiadro po farbie do kontenera na śmieci.

– Siadaj, Iris.

– Ale ja...

– Nie ma żadnego „ale". Tym razem – dodał i krzywo się uśmiechnął. Po jego oczach mogłam poznać, że był przestraszony moim wyglądem.

– Max, pozwól mi, proszę, iść do łazienki i to usunąć, zanim na zawsze przywrze do mojej skóry.

Wydawało się, że zdanie, które wypowiedziałam bez szlochu i głupawego mrugania, uspokoiło go.

Powiedział:

– Tak, poczekaj. Pójdę z tobą.

– Po co?

– Mój Boże, Iris, nie rób teraz scen.

Siedziałam na zamkniętym sedesie i pozwalałam mu działać. Tak miło i delikatnie wycierał mi ucho i policzek, że musiałam znów się rozryczeć. Zauważywszy to, przepraszał, że sprawił mi ból, a ja jeszcze bardziej się rozryczałam. Opuścił gąbkę, ukląkł przede mną na płytkach łazienkowej podłogi i przytulił mnie. I to był koniec jego ładnej niebieskiej koszuli.

Poryczałam jeszcze trochę w jego kołnierz, ale tylko dlatego, że tam tak dobrze pachniało i w ogóle było bardzo przytulnie. Potem obejrzał moje otarcia na kolanach i dłoniach.

Na twarzy nie miałam śladów wypadku, uratowała mnie torba, a butelka terpentyny nawet ostała się w całości. Potem wyszedł, a ja wskoczyłam pod prysznic i zmyłam sobie męskim niebieskim szamponem resztę białej farby z włosów.

Gdy w niebieskim męskim szlafroku wyszłam na taras – złota sukienka była już nie do rozpoznania – Max siedział na leżaku i czytał gazetę. Obok niego piętrzył się stos akt. Oczywiście, dziś był zwykły dzień pracy, jak mogłam liczyć na to, że w ogóle będzie w domu?

– Dlaczego nie jesteś w biurze? – zapytałam go.

Roześmiał się.

– Ciesz się, że mnie tam nie ma. Czasem zabieram pracę do domu. – Odłożył gazetę i popatrzył na mnie krytycznie. – Farba zniknęła, ale twoja twarz wciąż jeszcze nie nabrała właściwych kolorów.

Zaczęłam trzeć policzki. Max pokręcił głową.

– Nie, nie to miałem na myśli. Wyglądasz blado.

– To przez twój szlafrok, to kolor nie dla mnie.

– Możliwe. Może wolałabyś włożyć to coś, w czym przyjechałaś?

Podniosłam ręce.

– Już dobrze, dobrze, wygrałeś, poddaję się. Zadowolony? Czy mogę się przysiąść?

Max wstał i wcisnął mnie w swój leżak. To znów było bardzo miłe. Wstydziłam się za swój kłótliwy ton, którego sama sobie nie potrafiłam wytłumaczyć, i oto znów zaczęłam ryczeć.

Max powiedział pospiesznie:

– Nie, nie, Iris. Już dobrze, naprawdę. Przykro mi.

– Nie, to mnie jest przykro. Jesteś taki miły, a ja... a ja...

Wytarłam nos rękawem jego szlafroka.

– ...a ja, ja wycieram sobie nos rękawem twojego szlafroka! To straszne!

Max się roześmiał i powiedział, że to naprawdę straszne i że mam natychmiast się uspokoić i napić się wody, która stoi na stole.

Zrobiłam, co mi radził, i zjadłam też od razu dwa czekoladowe ciastka, a do tego jabłko. Max zapytał:

– Po co ci była ta farba?

– No, do malowania.

– Ach tak.

Przyglądał mi się, a ja zachichotałam. Potem jednak pomyślałam o napisie na kurniku i spoważniałam.

– Wiedziałeś, że na naszym kurniku w ogrodzie ktoś napisał „Nazista"? Na czerwono.

Podniósł wzrok.

– Nie, nie wiedziałem.

– I teraz chcę pomalować ten kurnik.

– Cały kurnik? Jednym wiadrem farby?

– Nie. Ale więcej niż dwóch czy trzech kolejnych wiader chyba jednak nie dałabym rady umieścić na tym bagażniku, jak uważasz, hmm?

– Dlaczego nie zapytasz po prostu, czy możesz pożyczyć mój samochód albo czy nie przywiózłbym ci tych rzeczy?

– Max, skąd miałam wiedzieć, że będziesz tkwić tu, a nie w biurze? – A potem dodałam: – Poza tym byłam przecież akurat w drodze do ciebie.

Spojrzałam przy tym z mocą na niego i miałam nadzieję, że nie zauważy natychmiast, w jakich osobliwych sprzecznościach się właśnie zaplątałam.

Max zmarszczył czoło, a ja szybko mówiłam dalej:

– Chciałam wiedzieć, czy macie jeszcze w biurze jakieś akta na temat mojego dziadka. Czy ten napis nabazgrał jakiś nazista, czy też ktoś chciał nas oskarżyć, że jesteśmy nazistami?

– Rozumiem. Mogę zobaczyć. W piwnicy mamy kartony,

które należały do starszego pana. Ale gdyby było w nich coś obciążającego, na pewno by ich u nas nie przechowywał.

– Fakt. A więc chyba tak po prostu musiałam do ciebie przyjść.

Max spojrzał na mnie nerwowo.

– Żarty sobie ze mnie stroisz czy flirtujesz ze mną?

– Nie stroję sobie z ciebie żartów. Uratowałeś mnie, użyłam twojego niebieskiego męskiego szamponu i wysmarkałam się w twój szlafrok. Mam wobec ciebie dług wdzięczności.

– Czyli flirtujesz ze mną – powiedział Max z namysłem. – Dobrze.

Skinął głową.

Rozdział VIII

Chociaż do mojego domu nie było daleko, nie chciałam przebyć drogi w niebieskim szlafroku Maxa, wsiadłam więc do jego samochodu. Max włożył rower do bagażnika, gdzie zmieścił się tylko do połowy. Nie wypuścił mnie przy wjeździe, tylko otworzył szeroką bramę i podwiózł mnie aż pod zieloną bramę podwórza. Tam wyjął rower z bagażnika i przyjrzał mu się uważnie.

– Wygląda na to, że nie został uszkodzony. Miałaś szczęście.

Kiwnęłam głową.

Max lustrował mnie tym samym spojrzeniem, co przed chwilą rower.

– Powinnaś odpocząć.

Jeszcze raz kiwnęłam głową, podziękowałam i poszłam przez ogród do drzwi wejściowych, przy czym mimo obszernego szlafroka starałam się w chodzie połączyć godność i wdzięk. Musiało mi się udać, bo kiedy na rogu domu obejrzałam się, widziałam, że Max patrzy za mną, stojąc z założonymi rękami. Nie mogłam nic odczytać z jego spojrzenia, ale próbowałam sobie wmówić, że jest pełne podziwu.

Tymczasem musiało już być popołudnie. Na dole przy schodach zdjęłam sandały i powlekłam się na górę, przy czym jęczałyśmy razem z balustradą na dwa głosy. Wciąż jeszcze wszystko mnie bolało. Straszne. Rzuciłam się na łóżko i natychmiast zasnęłam.

Coś dzwoniło, dwa razy, trzy razy. Tak naprawdę obudziłam się dopiero, gdy przestało. Toczyłam walkę o uwolnienie się od snów i koców, a wtedy nagle usłyszałam trzeszczenie i skrzypienie schodów. Zerwałam się i zobaczyłam przez poręcz brązową czuprynę Maxa, potem pojawiły się jego ramiona, a gdy w końcu wszedł na górę w całej ludzkiej okazałości, odkrył mnie przy drzwiach pokoju Ingi.

– Iris, nie przestrasz się, proszę.

W ogóle się nie przestraszyłam, raczej bardzo się cieszyłam, że go tutaj widzę, nawet jeśli tu, na górze, było nieposprzątane, a ja wciąż miałam na sobie jego szlafrok.

Uśmiechnęłam się i powiedziałam:

– Czy podkradanie się do kobiet, kiedy akurat leżą bezbronne, to twój zwykły sposób działania?

– Nie słyszałaś dzwonka, a chciałem sprawdzić, co z tobą. Jest szósta wieczór. I kiedy nie otwierałaś, zacząłem się martwić, że mogłaś się źle poczuć. Więc po prostu wszedłem, drzwi wejściowe nie były zamknięte. I przyniosłem farbę, pędzel i wałek malarski. Wszystko zostawiłem na dole.

Doszłam do wniosku, że czuję się dobrze. Dłonie wprawdzie jeszcze trochę mnie piekły, kolano też, ale opadło ze mnie zmęczenie, a moje myśli były przejrzyste.

– Dobrze się czuję – odpowiedziałam. – Nawet bardzo dobrze. Miło, że przyszedłeś. Wyjdź. Jest, jak mówisz, już szósta wieczorem, a ja przez cały dzień nie zrobiłam nic rozsądnego.

Max rzucił długie, zamyślone spojrzenie na swój szlafrok.

– Nie masz nic pod spodem, prawda? Takie są twoje sposoby?

– Hej, powiedziałam „wyjdź".

– Bo jeśli to jest twój sposób, to muszę powiedzieć, że działa.

– Odwróć się, ty Nieudaczniku.

– Już dobrze, idę. Uważam jednak, że miałem prawo popatrzeć na własny szlafrok. Człowiek chce w końcu mieć pewność, że nieustannie nie wycierasz w niego nosa.

– Precz!

Max zręcznie się uchylił, kiedy rzuciłam w niego poduszką. Chociaż już był w drzwiach, powoli się odwrócił, podniósł poduszkę, otrzepał ją i oparł się o framugę. Stał tam z poduszką w ręku i nic nie mówił, a ja nagle dostałam gęsiej skórki na całym ciele.

Max pokręcił głową, rzucił poduszkę na podłogę i wyszedł z pokoju. Zdjęłam szlafrok, słuchając, jak schodzi po schodach. I słusznie, powinien.

Włożyłam świeżą bieliznę, a potem stanęłam przed problemem. Czarne ubrania z pogrzebu były za cienkie i za ciepłe, drugi garnitur czarnych rzeczy był zakurzony i przepocony. Nie pozostało mi więc nic innego, jak pogrzebać w szafach. Muszę włożyć tę różowo-pomarańczową sukieneczkę Harriet. Rzeczy Harriet i Ingi pasowały na mnie lepiej niż ubrania mojej matki. Jej były na mnie za wąskie.

Gdy zeszłam na dół, myślałam, że Max się ulotnił. Ale zobaczyłam go na dworze. Siedział na schodach przed drzwiami, z łokciami na udach i głową podpartą dłońmi. Stopień niżej stały trzy wiadra białej farby. Usiadłam obok niego na kamiennym schodku.

– Hej.

Nie odrywając dłoni od czoła, odwrócił się do mnie. Minę miał mroczną, ale jego głos brzmiał ciepło, gdy powiedział:

– Hej, ty.

Chętnie położyłabym głowę na jego ramieniu, ale tego nie zrobiłam. Jego ciało się napięło.

– Pomalujemy ten kurnik?

– Teraz?

– Dlaczego nie? Jeszcze długo będzie widno. A jeśli nadejdzie noc, to nic nie szkodzi, bo twoja sukienka na pewno świeci również w ciemności. W świetle dziennym mogą nawet od niej oczy rozboleć.

– Krzykliwa, tak?

– No tak. Krzykliwa. Owszem.

Dałam mu kuksańca. Zerwał się, przyniósł z domu moją zieloną torbę. Jego ognisty zapał działał mi trochę na nerwy. Na nerwy działało mi też to, że najwyraźniej unikał mojej fizycznej bliskości. Tchórz. A może miał jakąś dziewczynę? Na pewno prawniczkę. Prawdopodobnie robiła właśnie w Cambridge MBA albo MLL, albo – czy ja wiem – jakieś KMA. Posługiwała się płynnie wszystkimi europejskimi językami, miała sarnie oczy i ciało, które zachwycająco prezentowało się w małych, seksownie skrojonych kostiumikach. Wydałam się sobie głupia w moim fluorescencyjnym hippisowskim kitlu i najchętniej odesłałabym Maxa do domu. Ale był tutaj, z trzema wiadrami farby, i cierpliwie czekał, żebym wyjęła wałek malarski z torby, a ja? Przespałam właśnie dwie i pół godziny, i tak przed północą nie zmrużę oka. Dlaczego miałabym więc nie pomalować kurnika?

Chwyciłam jedno wiadro i obydwa wałki. Max wziął po jednym wiadrze w każdą rękę, wetknął pędzel do tylnej kieszeni spodni i powlekliśmy się dookoła domu. Obok kuchennego ogródka, gdzie owiał nas zapach cebuli, potem wzdłuż sosnowego lasku, w którym wieczorne słońce rzucało osobliwe cienie, aż w końcu dotarliśmy do kurnika. Trawa tu była już od długiego, długiego czasu niekoszona.

Łąkę przed domem Bertha strzygła na krótko kosiarką do trawy, ale za domem Hinnerk machał kosą. W dzieciństwie uwielbiałam ten syczący dźwięk, wraz z którym padały trawy i mlecze. Hinnerk kroczył powoli i spokojnie po łące. To nie był szeroki ruch, ten, którym prowadził kosę, ale rytmiczny i równomierny jak barokowy taniec.

– O, tu jest.

Staliśmy przed ścianą z czerwonym napisem.

– Wiesz, Max, myślę, że to się zgadza.

– Co się zgadza?

– No, że był. Nazistą.

– Był w partii?

– Tak. A twój dziadek?

– Nieee, mój był komunistą.

– Mój dziadek nie tylko po prostu należał do partii, on zawsze musiał decydować.

– Rozumiem.

– Harriet czasem nam coś opowiadała.

– A skąd ona to wiedziała?

– Nie mam pojęcia, może go zapytała? Albo moja babka jej opowiedziała?

Max wzruszył ramionami i otworzył pierwsze wiadro. Kijem, który znalazł w sosnowym lasku, pomieszał gęste mleko farby.

– Zaczynajmy malować. Ty stamtąd, a ja stąd.

Zanurzaliśmy wałki i przeciągaliśmy po ciemnoszarym tynku. Biel jaskrawo się odcinała od tła. Powoli przycisnęłam wałek do ściany. Dach znajdował się na wysokości mojego czoła. Cienkie białe strużki farby spływały ze ściany. Malowanie też było sposobem zapominania. Nie chciałam temu czerwonemu napisowi nadawać wysokiej rangi. Nie był w końcu dany od Boga, tylko namalowany sprayem na ścianie przez znudzonego nastolatka. Po prostu żart lub zamierzony cios.

Malowanie szło szybko, ściany kurnika rzeczywiście nie były duże. Gdy się tam bawiłyśmy, Rosmarie, Mira i ja, ten domek nie był jeszcze taki mały.

Dłonie mojej babki głaskały wszystkie gładkie powierzchnie – stoły, szafki, komody, krzesła, telewizory, sprzęt grający, gładziła wszystko, zawsze w poszukiwaniu okruchów, kurzu, piasku, resztek jedzenia. Zgarniała to w kupkę i przesuwała do złożonej w miseczkę lewej dłoni. To, co zgarnęła, nosiła potem tak długo, aż ktoś to od niej wziął i wyrzucił do wiadra na śmieci, do toalety albo przez okno. To był objaw choroby. Wszyscy tutaj tak robią – powiedziała pielęgniarka w domu opieki mojej matce. Upiorny dom. Z jednej strony był tak praktycznie i funkcjonalnie urządzony, ale z drugiej – zaludniony ciałami, które w odmienny sposób i w różnym stopniu zostały opuszczone przez ducha. Tego dobrego i tego złego. Wszyscy gładzili dłońmi gładkie meble ze sztucznego tworzywa z zaokrąglonymi narożnikami, jak gdyby szukali czegoś, czego się można przytrzymać. Ale pozory myliły. Nie szukali oparcia po omacku. Gdy Bertha wypatrzyła plamę – nawet na podeszwie buta – wydrapywała ją z całą mocą i wytrwałością, póki plama nie poddała się jej paznokciom, nie odpadła w okruchach albo małych wałeczkach i w końcu zupełnie zniknęła. Tabula rasa. Nigdzie nie było czystszych stołów niż w domu opieki Wielkiego Zapomnienia. Tu zapominało się gładko.

Gdy Christa wracała z wizyt u Berthy, dużo płakała. Jeśli ludzie mówili, że byłoby przecież pocieszające, gdyby rodzice znów stawali się dziećmi, bardzo się złościła. Jej ramiona się napinały, głos stawał się zimny, i mówiła cicho, że to najgłupsza rzecz, jaką kiedykolwiek słyszała. Pomieszani starzy ludzie nie są ani trochę jak dzieci, a jedynie jak starcy z demencją. Jedno z drugim nie miało nic wspólnego. I porównywanie ich z dziećmi skłaniało do śmiechu, jeśli nie do płaczu. Coś takiego mogło przyjść do głowy tylko komuś, kto nigdy nie miał w domu dziecka albo starca z demencją. Ludzie, którzy przecież chcieli tylko pocieszyć moją matkę, milczeli skonsternowani, a często także obrażeni. Słowa o starcach z demencją były twarde i w złym guście. Christa chciała prowokować, a to z kolei przerażało mojego ojca i mnie. Znaliśmy ją przecież cichą i uprzejmą, stanowczą, ale nigdy nastawioną bojowo.

Kiedy w szkole przerabialiśmy *Makbeta*, musiałam myśleć o Bootshaven. Cały czas chodziło o przypominanie sobie i o chęć niepamiętania, o usuwanie nieistniejących plam, a do tego były jeszcze te trzy siostry czarownice.

Cios, głaskanie, dłonie Berthy na wszystkim, co płaskie, upewnianie się ciała, że jeszcze istnieje, że może się przeciwstawić. Sprawdzanie, czy istnieje jeszcze różnica między nim a nieożywionymi rzeczami w przestrzeni. To wszystko przyszło dopiero później. Przedtem te wymiecione do czysta stoły i blaty, i krzesła, i komody były pełne. Pełne karteczek. Małych kwadratowych karteczek, ładnie oddzielonych od bloku papieru, karteczek odciętych od brzegu gazety, dużych kartek formatu A4 wyrwanych z zeszytu, tylnych stron paragonów, list zakupów, karteczek z klejem, list dat urodzin, list adresów, karteczek z opisami drogi, karteczek z napisanymi dużymi literami nakazami: było tam napisane WE WTOREK PRZYNIEŚĆ JAJKA! Albo: KLUCZ PANI MAHLSTEDT. Wtedy Bertha zaczynała pytać Harriet, co właściwie chciała zapamiętać.

– Co to znaczy „klucz pani Mahlstedt"? – pytała w kompletnej rozpaczy. – Czy pani Mahlstedt dała mi jakiś klucz? Gdzie on jest? Czy chce mi go dać? Czy to ja chciałam dać jej klucz? Jaki? Po co?

Karteczek wciąż przybywało. Kiedy byliśmy w Bootshaven, fruwały dookoła, ponieważ zawsze gdzieś był przeciąg. Przelatywały powoli przez kuchnię jak duże liście lip jesienią przez podwórko. Informacje zawarte na tych karteczkach stawały się coraz bardziej nieczytelne i niezrozumiałe. Jeśli na pierwszych były jeszcze takie rzeczy jak obsługa nowej pralki, krok po kroku, to z biegiem czasu karteczek było coraz więcej, za to z krótszym tekstem. „Prawe przed lewym" – było napisane na jednej; to można jeszcze było zrozumieć. Ale czasem babka pisała notatki, których sama nie potrafiła odczytać, a czasem próbowała czytać karteczki, na których jednak nie było już nic, co dałoby się przeczytać. Wiadomości stopniowo stawały się coraz dziwniejsze: „kostium kąpielowy w fordzie", ale w tym czasie oni nie mieli już forda. A potem co jakiś czas „Bertha Lünschen, Geestestraße 10, Bootshaven". W którymś momencie już tylko „Bertha Deelwater", ale wtedy karteczek było już mniej. Bertha. Bertha. Jak gdyby musiała się upewniać, że wciąż istnieje. To imię nie wyglądało już jak podpis, tylko jak coś z trudem skopiowanego. Krótki napis był pełen miejsc, w których pismo się urywało, zatrzymywało i znów zaczynało, z ewidentnymi małymi bliznami. Czas mijał i deszcz kartek się skończył. Jeśli Bertha od czasu do czasu natykała się na jakąś starą, patrzyła na nią niewidzącym wzrokiem, zgniatała i wkładała do kieszeni fartucha, do rękawa albo buta.

Mój dziadek klął na nieporządek w domu. Harriet robiła, co mogła, ale musiała pracować nad swoimi przekładami, a Rosmarie też nie przyczyniała się do tego, żeby wszystko wyglądało na zadbane i posprzątane. Hinnerk zaczął zamykać swój gabinet, żeby mu żona niczego nie poprzekładała. Bertha bezradnie szarpała klamkę drzwi jego pokoju i mówiła, że przecież musi tam wejść. To był widok, którego nikt z nas nie potrafił znieść. To był w końcu jej dom.

Właściwie znałam Bootshaven tylko z letnich pobytów

na wakacjach. Czasem przyjeżdżałam z rodzicami, ale najczęściej tylko z Christą, a raz czy dwa również sama. Na pogrzeb Hinnerka przyjechaliśmy w listopadzie. Ale wtedy padało: tak naprawdę oprócz cmentarza nic nie widziałam, nawet ogrodu przy domu.

– Jaki był ten ogród zimą? – pytałam matkę, łyżwiarkę, której imię brzmiało jak drapanie płóz po lodzie.

– Był piękny – powiedziała i wzruszyła ramionami.

Gdy zauważyła, że to nie wystarczy, dodała, że kiedyś wszystko zamarzło. Najpierw przez cały dzień padało, ale wieczorem nagle przyszedł wielki mróz i wszystko pokryło się lodem. Każdy liść, każde źdźbło miało przejrzystą warstewkę lodu, a kiedy wiatr wiał przez sosnowy lasek, pojedyncze igły dzwoniły jedna o drugą. To było jak muzyka gwiazd. Nie można było wyjść z domu, bo każdy kamień na podwórku był jak ze szkła. Podobno otworzyli okno w sypialni Ingi i patrzyli w dół. Następnego dnia zrobiło się cieplej, a deszcz zmył lodową pokrywę.

– Jaki był ogród przy domu Berthy zimą? – pytałam ojca, który w końcu też musiał go widzieć poza wakacjami.

Żywo skinął głową i powiedział:

– No, podobny jak latem, tylko brązowy i płaski.

Był przecież specjalistą od nauk przyrodniczych, ale prawdopodobnie nie bardzo wiedział, jak opisać przyrodę.

Pytałam Rosmarie i Mirę, gdy byłam tam latem. Siedziałyśmy na schodach i ukrywałyśmy liściki w popękanych płytach. Ogród zimą? Rosmarie nie myślała długo nad odpowiedzią.

– Nudny – orzekła.

– Śmiertelnie nudny – dodała Mira i roześmiała się.

Gdy Rosmarie, Mira i ja znów kiedyś bawiłyśmy się w przebieranki, przyszedł dziadek, żeby dać nam cukierki z puszki MacIntosha. Lubił nas. Mnie lubił bardziej niż Rosmarie, bo byłam dzieckiem Christy, bo byłam młodsza, bo

nie mieszkałam z nim w jednym domu i nie widywał mnie
tak często. Ale uwielbiał przekomarzać się z dwiema star-
szymi dziewczynami, a one z nim flirtowały. To sprawiało, że był radosny i szarmancki, i wtedy zapytałam go, jak
ogród wygląda zimą. Hinnerk puścił do nas oko i po dra-
matycznym westchnieniu powiedział głębokim głosem:

> Zimą przychodzi szary człek,
> to mróz, oj, mróz, mój kotku.
> A kto się nie ubierze wnet,
> przeziębi się szybciutko.
> I będzie kaszleć, charczeć w głos
> i mówić cały czas przez nos.
> A gorsze niż się z zimna trząść
> jest zimą złamać sobie coś.
> Więc trzeba w domu zostać dziś,
> wycierać nos czerwony.
> Bo panna z tobą nie chce wyjść,
> gdyś jest zakatarzony.
> Idziesz więc tak przez ogród sam,
> twe serce smutno bije.
> Żadna dziewczyna nie czeka tam,
> bo gila masz po szyję.

Hinnerk śmiał się gromko, aż się pochylił.

– Brawo! – wołałyśmy raczej z grzeczności niż szczerze
i klaskałyśmy dłońmi w rękawiczkach. Rosmarie i ja miałyśmy białe, takie, które można było zapiąć na guziki w nad-
garstkach. Rękawiczki Miry były z czarnej satyny i sięgały
za łokcie. Hinnerk ze śmiechem znów zszedł na dół, schody
trzeszczały pod jego stopami. Mira chciała wiedzieć, czy naprawdę wymyślił wierszyk tak od razu. Ja też chętnie bym
się tego dowiedziała, ale Rosmarie wzruszyła ramionami.

– Być może – powiedziała. – On ciągle wymyśla wiersze.
Ma ich całą książkę.

*

Max i ja dotarliśmy do słowa wypisanego na ścianie, ja zamalowywałam wałkiem literę „i", on – „N". Powoli zaczynaliśmy wchodzić sobie w paradę.

– Dokończę tutaj – powiedziałam – a ty maluj inną ścianę. Jedna biała ściana będzie wyglądać dziwnie, pomalujmy wszystkie na biało. Przecież szybko nam idzie.

Max wziął sobie nowe wiadro, zdjął pokrywkę, zamieszał zawartość i zawlókł je za róg, żeby pomalować ścianę z tej strony, która była zwrócona w kierunku lasku.

– Powiedz, Max...

Mówiłam do swojej ściany. Głos Maxa słychać było z prawej:

– Hmm?

– Czy ty właściwie nie masz nic lepszego do roboty, niż tutaj malować?

– Masz coś przeciwko temu?

– Nie, oczywiście, że nie, cieszę się. Naprawdę. Ale masz przecież jakieś życie, to znaczy, jesteś przecież chyba... no, sam rozumiesz.

– Nie, nie rozumiem. A teraz ładnie dokończ to zdanie, Iris. Nawet nie myślę o tym, żeby pomóc ci wybrnąć z tej sytuacji.

– Dobrze więc, sama jestem sobie winna. Chciałam tylko być uprzejma. Wydaje mi się, że rzucasz się na mnie i moje sprawy, jak gdyby poza tym akurat nic się nie działo w twoim życiu. Tak jest?

Max wyjrzał zza rogu i spojrzał na mnie przymrużonymi oczami. Powiedział:

– Może tak, może akurat tak jest. I teraz oczywiście wywnioskujesz swoim marnym małym damskim móżdżkiem, że przesiaduję tu tylko dlatego, że jestem samotny i znudzony. – Westchnął, pokręcił głową i znów zniknął za kurnikiem.

Zrobiłam wdech:
– A jesteś?
– Samotny i znudzony?
– Tak?
– Owszem. Czasem troszeczkę. Ale ogólnie rzecz biorąc, nie popycha mnie to do poszukiwania towarzystwa obcych kobiet i rzemieślniczych prac w ich domach oraz kurnikach.
– Uhm. Mam to zatem potraktować osobiście?
– Koniecznie.
– Co robisz, kiedy nie malujesz kurników i nie pracujesz?
– Ojej, wiedziałem, że zapytasz. Bardzo niewiele, Iris. Dwa razy w tygodniu gram w tenisa z kolegą. Wieczorem biegam, chociaż uważam to za śmiertelnie nudne. Kiedy jest upalnie, chodzę popływać, oglądam telewizję, każdego dnia czytam dwie gazety i od czasu do czasu przekartkuję „Spiegla". Czasami po pracy idę do kina.
– A gdzie jest twoja żona? U was, na wsi, w wieku dwudziestu pięciu lat ma się już przecież dwoje albo troje dzieci z żoną, którą poznało się w wieku szesnastu lat.
Cieszyłam się, że nie mogę go widzieć.
– Zgadza się. Mnie też o mało się to nie zdarzyło. Moja ostatnia dziewczyna, którą zresztą poznałem dopiero w wieku dwudziestu dwóch lat i z którą byliśmy razem cztery lata, wyprowadziła się w zeszłym roku. Jest pielęgniarką.
– Dlaczego nie wyruszyłeś za nią?
– Zmieniała szpital na taki, który był znacznie dalej od miasta niż ten. I zanim zdążyliśmy się zastanowić, czy powinniśmy się razem wyprowadzić do jakiegoś miejsca w połowie drogi między jej szpitalem a moją kancelarią, zdążyła wdać się w romans z ordynatorem.
– Och, przykro mi.
– Mnie też. Ale najbardziej mnie zabolało to, że właściwie było mi to obojętne. Rozłościł mnie tylko ten stereotyp –

lekarz i pielęgniarka. Nie miałem złamanego serca. Nie czułem w nim ciernia. Prawdopodobnie w ogóle już nie mam serca, utonęło tu, w tym bagnistym krajobrazie.

– Kiedy byłeś mały, miałeś.

– Naprawdę? Uspokoiłaś mnie.

– Kiedy wyciągnąłeś Mirę z wody. Przy śluzie.

– Ale czy to oznaka, że mam serce? To było raczej coś na kształt obowiązku. I wcale nie zrobiłem tego z ochotą.

– Ale serce okazałeś, gdy później już nigdy więcej się do nas nie odezwałeś.

– Budziłyście we mnie grozę.

– Ach, przestań, uważałeś, że jesteśmy wspaniałe.

– Przerażająco wspaniałe.

– Durzyłeś się w nas.

– To wy byłyście jak totalnie odurzone.

– Uważałeś, że jesteśmy piękne.

Max milczał.

– Uważałeś, że jesteśmy piękne!

– Tak, do cholery. I co z tego?

– Nic, tylko tak sobie.

Malowaliśmy dalej.

Po kilku minutach z prawej jeszcze raz głucho zabrzmiał głos Maxa:

– Ten napis na ścianie namalował albo ktoś, kto nie miał najmniejszego pojęcia, co pisze, albo ktoś, kto dobrze znał Hinnerka Lünschena. Bo w Bootshaven nie ma prawicowego środowiska. Tu w ogóle nie ma żadnego środowiska. No, chyba że ma się na myśli środowisko właścicieli myjni samochodowych albo hodowców geranium w skrzynkach z płukanego betonu. Tu się tak niewiele dzieje, że czasem siadam na cmentarzu i chlam czerwone wino, tylko po to, żeby się coś działo. Jestem nudnym typem i w dodatku jeszcze na tyle inteligentnym, żeby to wiedzieć. Mam pecha.

*

Milczałam. Nie miałam ochoty go pocieszać, nie wierzyłam też, że oczekuje pocieszenia. Poza tym przecież to była prawda. Co ja widziałam w tym gładkim aplikancie? Prawdopodobnie przeszłość. Przypuszczam, że ważne było dla mnie, iż miał mnie przed oczami taką, jaka byłam wtedy, pulchną jasnowłosą dziewczynkę, która rozpaczliwie próbowała zwrócić na siebie uwagę dwóch starszych dziewcząt. Znał mnie jako wnuczkę Berthy, cioteczną siostrę Rosmarie, „kochaną dziewczynkę" Hinnerka. I jeśli nawet Max, jak wszyscy młodsi bracia, między ósmym a trzynastym rokiem życia jakby się rozpuścił w powietrzu, to przecież nas widział. Mira czasem musiała go do nas zabrać, a my nie zaszczycałyśmy go nawet spojrzeniem, a i on nas również, ale zauważyłam, jak nas postrzegał. Mogłam to wyczuć dlatego, że oboje traktowaliśmy tamten dzień z taką samą obojętnością, w której zawsze była spora domieszka rozpaczy.

Oprócz rodziców i ciotek nie znałam nikogo, kto widział nas takimi, jakie wtedy byłyśmy. Ale oni się nie liczyli, ponieważ nigdy nie przestali nas takimi widzieć. Max jednak widział mnie teraz. Co za szczęście, że był tak miły. Prawdopodobnie musiał taki być, bo Mirze przecież przypadły w udziale wszystkie inne cechy. Była dzika, on – grzeczny. Rzucała się w oczy, on starał się trzymać w cieniu. Ona wychodziła, on zostawał. Mira chciała dramatów, on – spokoju. I ponieważ był taki miły, nigdy go oczywiście nie zauważałyśmy. Która szanująca się dziewczyna zauważa miłych chłopców?

Ale teraz go zauważyłam i zadawałam sobie pytanie dlaczego. Śmierć i erotyka zawsze oczywiście chodziły w parze, ale abstrahując od tego? Dlatego że oboje akurat nikogo nie mieliśmy? Ja zostawiłam Jona, bo chciałam wrócić „do domu". Każdy człowiek wiedział, że należy zachować ostrożność w stosunku do własnych życzeń, bo mogłyby się jeszcze spełnić. Max przyszedł razem z tym domem. Ten dom. Podzielona pamięć wiązała równie mocno jak wspólne wspomnienia. Być może jeszcze mocniej.

Rozwiązała się też zagadka mężczyzny z butelką na cmentarzu. W tej wsi nic nie mogło długo pozostać tajemnicą, nawet przede mną. Z pewnością też wszyscy już wiedzieli, że Max maluje kurnik Berthy Deelwater.

I co Max wtedy zauważył? Ten dzień przy śluzie był jednym z pierwszych letnich dni. Pamiętałam olbrzymie zielone chmary much, kiedy jechałyśmy na rowerach przez pastwisko do kanału. Rosmarie miała na sobie wąską fioletową sukienkę, wiatr w pędzie pompował powietrze w bufiaste rękawy, uszyte z cienkiego, przezroczystego materiału. Jej ramiona prześwitywały biało przez tkaninę jak liliowa mgła i wyglądała jakby z jej barków wyrosły dwa morskie węże. Żeby móc jechać, przypięła sukienkę nad kolanami, spinki do bielizny poziomo odstawały na wietrze. Musiałam jechać za nią, bo widziałam przed sobą piegi pod jej kolanami. Ale może to było podczas jakiejś innej rowerowej wycieczki.

Również wtedy miałam na sobie zieloną sukienkę ciotki Ingi, jestem tego pewna, ponieważ czułam się w drodze nad śluzę jak nimfa rzeczna, a w drodze powrotnej jak wzdęta topielica.

Mira była ubrana na czarno.

Wzięłyśmy rzeczy do kąpieli z bagażników, zostawiłyśmy rowery na brzegu na górze i pobiegłyśmy w dół, na jeden z pomostów. Położyłam sobie na ramionach olbrzymi ręcznik i próbowałam się pod nim rozebrać. Oprócz nas nie było nikogo. Mira i Rosmarie roześmiały się, kiedy zobaczyły moje starania.

– Dlaczego tak się ukrywasz? Co miałby ktoś u ciebie wypatrzyć?

Ale ja wstydziłam się swojego ciała, właśnie dlatego, że nie miałam jeszcze niczego, czego można by się wstydzić. Rosmarie miała małe twarde piersi z wystającymi różowymi brodawkami. Mira zaś miała zadziwiająco duży biust, czego przy jej wąskich ramionach i pod czarnymi swetrami nikt nie zauważał. Ja nie miałam nic. Nic odpowiedniego. Nie byłam na górze już tak płaska jak jeszcze rok wcześniej, gdy całkiem beztrosko chodziłam pływać w samych majtkach. Coś już tam było, ale dziwne i wstydliwe, i w dotyku nie takie jak trzeba. Nie rozumiałam, dlaczego na pływalniach dziewczynki musiały się przebierać w jednym wspólnym pomieszczeniu, podczas kiedy panie miały osobne kabiny. Byłoby sensowniej, gdyby postanowiono odwrotnie; to, co niegotowe, wymagało osłony. W wypadku dzieł sztuki było nie inaczej niż u motyli. Ja w każdym razie miałam jasność, do której z dwu grup należałam.

Położyłyśmy się na drewnianym pomoście i porównywałyśmy kolor naszej skóry. Wszystkie byłyśmy strasznie blade. I chociaż ja miałam najjaśniejsze włosy, z nas trzech moja skóra była najciemniejsza, w żółtawym odcieniu, Miry – jak alabaster, Rosmarie miała sinawe żyłki i piegi. Potem porównywałyśmy nasze ciała. Rosmarie mówiła o piersiach i o tym, że się zmniejszają po okresie. Nie rozumiałam, o co jej chodzi. W jakich okresach piersi miałyby się powiększać i zmniejszać? A może istniał jakiś niekończący się okres, kiedy piersi wyglądały jak ogryzki, jak u mnie? Mira i Rosmarie śmiały się jeszcze głośniej. Zaczerwieniłam się, zrobiło mi się gorąco i wiedziałam tylko, że czegoś nie wiem, oczy mnie piekły i żeby się nie rozryczeć, gryzłam policzki od środka.

Mira opanowała się pierwsza i zapytała, czy matka mi

nie wyjaśniła, że kobietom raz w miesiącu tam na dole leci krew. Byłam przerażona. Krew. Nikt mi o tym nie mówił. Niejasno przypominałam sobie o czymś, co matka nazywała „trudnymi dniami", ale to miało coś wspólnego z niemożnością uprawiania sportu. Byłam wściekła na matkę. Wściekła też na Mirę i Rosmarie. Miałam ochotę je kopnąć. W sam środek ich galaretowatych biustów-meduz.

– Popatrz, ona naprawdę tego nie wiedziała, Mira! – zawołała Rosmarie. Absolutnie zachwycona.

– Zgadza się. Jakie to słodkie!

– Oczywiście, że wiedziałam, nie wiedziałam tylko, że to się nazywa „okres". My nazywamy to trudnymi dniami.

– Okej, to wiesz też pewnie, co się robi, żeby nic nie wyleciało.

– Jasne.

– Tak? No co?

Milczałam i znów gryzłam policzki od środka. To bolało i odwracało moją uwagę od rozmowy. Mogłam językiem wymacać ślady po zębach. Nie chciałam się przyznać, jak mało wiem, ale też nie chciałam zmieniać tematu, ponieważ koniecznie musiałam dowiedzieć się więcej.

Rosmarie patrzyła na mnie. Leżała w środku, jej oczy błyszczały srebrzyście jak skóra drobnych rybek w kanale. Wydawało się, że wie, co się we mnie dzieje.

– Mówię ci: tampony i podpaski. Mira, wytłumacz jej, jak działa tampon.

To, co powiedziała Mira, zburzyło moją równowagę: grube, twarde pałeczki z waty, które się wsuwa od dołu, nitki, które wiszą z człowieka, i bezustannie krew, krew, krew. Zrobiło mi się niedobrze. Wstałam i wskoczyłam do wody. Słyszałam za sobą śmiech Rosmarie i Miry. Gdy wyszłam z wody, rozmawiały o swojej wadze.

– ...nasza mała Iris też ma całkiem gruby tyłek.

Rosmarie patrzyła na mnie wyzywająco. Mira parsknęła:

– To od czekoladek waszego dziadka.

To prawda, nie byłam chuda. Nie byłam nawet szczupła. Miałam grubą pupę i grube nogi, wcale nie miałam biustu, za to okrągły brzuch. Byłam najbrzydsza z nas trzech. Rosmarie była tą tajemniczą, Mira – zepsutą, a ja – tłustą. Prawdą było też, że jadłam za dużo. Uwielbiałam czytać i przy tym jeść. Jedną kanapkę za drugą, jedno ciastko za drugim, słodkie i słone na zmianę. To było cudowne: romanse z serem gouda, powieści przygodowe z czekoladą z orzechami, tragedie rodzinne z muesli, bajki z miękkimi karmelkami, opowieści rycerskie z markizami. W wielu książkach jadało się właśnie wtedy, kiedy akurat było najpiękniej: klopsiki i kaszę, i bułki z cynamonem, i plasterek najlepszej kiełbasy. Czasem, kiedy szwendałam się po naszej kuchni w poszukiwaniu jedzenia, moja matka zagryzała dolną wargę, kiwała na mnie i mówiła, że jest dobrze, że za godzinę będzie kolacja albo że powinnam trochę uważać na linię. Dlaczego zawsze mówiła, że jest dobrze, jeśli akurat dobrze nie było? Wiedziała, że mnie tymi zdaniami upokarza, że obrażona pójdę do swego pokoju i nie przyjdę na kolację, a potem wykradnę migdały i kuwerturę i zabiorę do łóżka. I będę czytać i jeść, i stanę się nieszczęśliwą, niemą syrenką albo Małym Lordem, wyląduję na bezludnej wyspie, z rozwianym włosem będę pędzić konno po wrzosowiskach albo zabijać smoki. Razem z migdałami przeżuwałam wściekłość i odrazę do samej siebie i przełykałam potem jedno i drugie wraz z kuwerturą. Jak długo tak jadłam i czytałam, było dobrze. Byłam wszystkim, czym można być, tylko nie sobą. Nie wolno mi było przestać czytać za żadną cenę.

Tego dnia przy śluzie nie czytałam. Stałam mokra na pomoście i marzłam pod spojrzeniami obydwu dziewczyn. Spojrzałam w dół na swoje stopy – oglądane z góry, wystawały białe i szerokie spod mojego brzucha, a gęsia skórka była większa niż brodawki moich piersi.

Rosmarie zerwała się.

– Chodźcie, skoczymy z mostu.

Mira powoli się podniosła. W bikini wyglądała jak czarno-biały kot.

– Musimy? – Ziewnęła.

– Tak, musimy, moja słodka. Ty też chodź, Iris.

Mira się nastroszyła:

– Dzieciaku, idź się bawić gdzie indziej, pozwól, proszę, dorosłym trochę odpocząć, dobrze?

Rosmarie patrzyła na mnie, jej wodniste oczy migotały. Podała mi rękę. Wdzięczna chwyciłam ją i pobiegłyśmy do mostu. Mira szła za nami powoli.

Most był wyższy, niż myślałyśmy, ale nie tak wysoki, żeby się nie można było odważyć na skok. W środku lata więksi chłopcy skakali stąd. Dziś nikogo nie było na drewnianym moście.

– Spójrz, Mira, tam na dole siedzi twój młodszy brat. Hej! Nieudaczniku!

Rosmarie miała rację. Na dole, na ręczniku siedział Max z przyjacielem. Jedli maślane ciasteczka i jeszcze nas nie zauważyli. Gdy Rosmarie zawołała, spojrzeli w górę.

– Dobra. Która pierwsza? – zapytała Rosmarie.

– Ja. – Nie bałam się skakać, dobrze pływałam. I jeśli nawet byłam brzydka, to przynajmniej odważna.

– Nie, Mira skacze pierwsza.

– Dlaczego? Pozwól Iris, jeśli chce.

– Ale ja chcę, żebyś ty skoczyła, Miro.

– A ja nie chcę skakać.

– Przestań. Siadaj na barierce.

– Chętnie, ale na tym koniec.

– Już dobrze.

Rosmarie znów spojrzała na mnie z tym migotaniem

w spojrzeniu. Nagle pojęłam, co chce zrobić. Jeszcze przed chwilą ona i Mira wyśmiewały się ze mnie, a teraz moja cioteczna siostra sprzymierzyła się ze mną. Wciąż jeszcze byłam zła z powodu tego, co stało się wcześniej, i pochlebiało mi to przymierze. Kiwnęłam głową. Rosmarie też kiwnęła. Mira siedziała na barierce, jej stopy kołysały się nad wodą.

– Masz łaskotki, Miro?

– Wiecie, że mam.

– A tu masz? – Rosmarie lekko klepnęła ją po plecach.

– Nie, daj spokój.

– A może tu? – Rosmarie połaskotała ją w ramię.

– Odejdź, Rosmarie.

Stanęłam obok i zawołałam:

– A tu?

A potem mocno uszczypnęłam ją w bok. Drgnęła, krzyknęła, straciła równowagę i spadła z mostu.

Rosmarie i ja nie patrzyłyśmy na siebie. Przechyliłyśmy się nad barierką, żeby zobaczyć, co Mira zrobi, gdy wypłynie.

Czekałyśmy.

Nic.

Nie wypływała.

Zanim skoczyłam, widziałam jeszcze, jak Max wbiegł do wody, aż bryzgało.

Gdy wypłynęłam, Max już holował siostrę w kierunku brzegu. Kaszlała, ale płynęła.

Zataczając się, wyszła na ląd i położyła się w wysokiej trawie przy brzegu. Max siedział obok niej. Nie rozmawiali ze sobą. Gdy wyszłam z wody, a Rosmarie nadbiegła z góry, popatrzył na nas wszystkie, splunął w wodę, wstał i poszedł. Wsiadł w mokrych kąpielówkach na rower i odjechał.

Rosmarie i ja usiadłyśmy obok Miry, która wciąż jeszcze miała zamknięte oczy i szybko oddychała.

138

– Jesteście nienormalne! – wyrzuciła z siebie.

– Przykro mi, Miro, ja... – Zaczęłam płakać.

Rosmarie w milczeniu patrzyła na Mirę. Gdy ta w końcu otworzyła oczy, Rosmarie odchyliła głowę do tyłu i roześmiała się. Małe czerwone usta Miry rozciągnęły się – w bólu, nienawiści, czy też zaraz miała się rozpłakać? Otworzyła usta, wydała z siebie krótki charczący dźwięk, potem zaczęła się śmiać, najpierw po cichu, potem głośno, bezradnie, krzykliwie. Rosmarie nie spuszczała jej z oczu. Ja siedziałam obok i ryczałam.

– Max?

– Hmm?

– Wtedy przy śluzie...

– Hmm?

– Było mi przykro. Zadawałam sobie pytanie...

– Hmm?

– Zadawałam sobie pytanie, czy to miało coś wspólnego ze śmiercią Rosmarie.

– Nie mam pojęcia. Ale wydaje mi się, że to nie było tego samego lata. To zdarzyło się przecież wcześniej. Skąd ci to przyszło do głowy?

– Ach, nie mam pojęcia.

– Wiesz, może wszystko miało z tym coś wspólnego, a więc może również i to. To i pogoda, i to, co jest napisane na tym kurniku, i jeszcze kilka tysięcy innych rzeczy. Rozumiesz?

– Hmm.

Odgarnęłam włosy z czoła. Malowaliśmy dalej. Wciąż jeszcze było ciepło. Zamalowywanie niewiele dało, czerwony napis był równie czytelny jak przedtem. *Nazi* – nazista. Sam Hinnerk często używał na socjalistów określenia *Sozi*. Nie lubił socjalistów, nie dało się tego ukryć. Klął na prawicę, na lewicę, na wszystkie partie. Gardził całą tą skorumpowaną czeredą, co chętnie oznajmiał często wszystkim, którzy chcieli tego słuchać, a przede wszystkim tym, którzy tego słuchać nie chcieli. Na przykład mój ojciec nie chciał słuchać, był członkiem rady gminy i opowiadał się za przystosowaniem krawężników dla rowerów, wyłączaniem nocą latarni na wyludnionych ulicach i za rondami na skrzyżowaniach.

Te wiersze, jak opowiadała Harriet, Hinnerk napisał po wojnie, gdy nie mógł już pracować jako adwokat. Został wysłany do południowych Niemiec w celu denazyfikacji. Mój dziadek był nie tylko zwykłym członkiem partii, czego nie potrafiłam otwarcie powiedzieć Maxowi. Od Harriet wiedziałam, że był drugim sędzią okręgowym. Miał szczęście, że nie musiał podpisywać żadnych złych wyroków. Moja matka, która często brała go w obronę, opowiadała, że uniewinnił pana Reimanna, kowala i zdeklarowanego komunistę. Jako uczeń często przesiadywał w jego kuźni, widok rozżarzonego metalu przerażał go i zachwycał jednocześnie. Uwielbiał syk i parowanie wody. Gotowe podkowy, wyjmowane z wody, wydawały mu się jedynie produktem ubocznym. Były twarde. Tępe, brązowe i martwe. Podczas gdy przedtem były czerwone, świecące magicznie, jak gdyby żyły własnym życiem. Hinnerk najpierw musiał się w szkole nauczyć literackiej niemczyzny. Christa mówiła, że nauczyciel zapytał pierwszoklasistów, co oznacza zdanie: „Nigdy nie dręcz dla żartu zwierząt, ich ból swoim bólem mierząc". Wtedy zgłosił się Hinnerk i powiedział dolnoniemiecką gwarą: „Jakby kto wam tak zrobił". Hinnerk miał szczęście, bo jego rodzice ustąpili pod naciskiem pastora i wysłali go później do gimnazjum. Zaraz potem wybuchła wojna, ojciec Hinnerka został powołany, ale Hinnerk został w szkole. Moja matka zwykła więc mówić, że gdyby pierwsza wojna światowa wybuchła pół roku wcześniej, Hinnerk nie poszedłby do szkoły, nie studiowałby i nie mógłby poślubić Berthy, nie miałby nigdy jej, Christy, nie byłoby też mnie, Iris. Wcześnie więc stało się dla mnie jasne, że szkoła była ważna, a nawet niezbędna do życia.

Gdy potem wybuchła druga wojna światowa, Hinnerk był już ojcem rodziny, nie żadnym żądnym zwycięstw zapaleńcem. Nie chciał być żołnierzem, nie został też powołany, tylko nadzorował obóz jeniecki w mieście i wieczorami wracał do domu, jak zwykle, na kolację. Hinnerk Lünschen był z siebie dumny. Nie dostał żadnego prezentu od życia, nikt nie włożył mu nic do kołyski. Siła jego woli, jego jasna głowa i jego samokontrola sprawiły, że sam do czegoś doszedł. Był wysportowany, lubił się w mundurze, wyglądał w nim dziarsko. Uważał, że większość koncepcji nazistów została stworzona właśnie dla takich mężczyzn jak on. Nie potrzebował tylko tego pomysłu z podludźmi. Zupełnie mu wystarczało bycie nadczłowiekiem. Gardził ludźmi, którzy musieli innych pomniejszać, by sami mogli być wielcy. Tego on, doktor Hinnerk Lünschen, notariusz, nie potrzebował. Oczywiście, załatwił swojemu dawnemu koledze ze szkoły Johannesowi Weillowi potrzebne papiery, żeby mógł wyjechać do Anglii do swoich krewnych. To była wszak sprawa honorowa. Nigdy o tym nie mówił, ale Johannes Weill napisał do nas list, gdy okrężnymi drogami dotarł do niego do Birmingham nekrolog Hinnerka. To było pół roku po śmierci dziadka. Inga skopiowała ten list i wysłała swojej siostrze Chriście. List był uprzejmy i zdystansowany; ten mężczyzna nie darzył dziadka sympatią. Nie chcę wiedzieć, jak protekcjonalnie w stosunku do niego zachował się wtedy Hinnerk. Nie wiem też, czy dziadek był antysemitą, w każdym razie praktycznie nie było nikogo, z kim by się kiedyś nie poróżnił. Ale z tego listu wynikało jasno, że pomógł koledze ze szkoły. Rodzina przyjęła to z wielką ulgą.

Oczywiście, skłócił się też z nazistami, gardził głupcami, a wielu nazistów było głupszych od niego. Za głupotę uważał też dalsze prowadzenie wojny, w której w sposób oczywisty nie miało się już żadnych szans. I powiedział to pewnego wieczoru, gdy zaszedł do baru Tietjenów. Siedziała tam cicha kobieta; nigdy nie dowiedzieliśmy się, kim była. Czy żoną człowieka, którego Hinnerk oskarżył i skazał? Czy Hinnerk kiedyś ją upokorzył? Był dostatecznie mądry, by szybko rozpoznawać słabości ludzkie, i dostatecznie błyskotliwy, żeby je uszczypliwie opisać, ale zabrakło mu mądrości, by oprzeć się pokusie zrobienia tego głośno. Pani Koop powiedziała kiedyś, że Hinnerk miał w mieście kochankę, ciemnowłosą piękną kobietę. Ona sama widziała jej zdjęcie, i to na biurku dziadka. Rosmarie i ja byłyśmy bardziej zdziwione tym, że pani Koop widziała jego biurko niż zdjęciem tajemniczej ciemnowłosej kobiety. Inga sądziła, że wie, o jakie zdjęcie chodzi. To była odbitka fotografii Anny, siostry Berthy. W każdym razie Hinnerk powiedział, że nie znał tej cichej kobiety z baru Tietjenów. Ona jednak musiała go znać albo też specjalnie się o niego dowiadywać. Bo go zadenuncjowała. W ten sposób sędzia okręgowy, dr Hinnerk Lünschen, ku przerażeniu całej rodziny, tuż przed końcem wojny w wieku prawie czterdziestu lat został żołnierzem. Nienawidził przemocy. Nienawidził swojego brutalnego ojca i gardził nim, a teraz miał strzelać do ludzi, a co gorsza, może zostać zastrzelonym. Ta świadomość nie pozwoliła mu spać, siedział całymi nocami przy otwartym oknie w gabinecie i patrzył w ciemność. Lipy na podwórku były już wtedy wysokie. Nastała jesień, podjazd był pokryty żółtymi sercowatymi liśćmi. Dzień przed wyjazdem Hinnerk wystąpił z NSDAP. I dostał zapalenia płuc.

W pociągu miał wysoką gorączkę i był bardzo słaby. Do Rosji nie można go było wysłać w tym stanie, został więc w jakimś lazarecie. Nie otrzymywał wprawdzie penicyliny, ale wyzdrowiał. Potem, w styczniu 1945 roku, wysłano go na front do Danii. Tam trafił do obozu jenieckiego, a po zakończeniu wojny do obozu dla internowanych w południowych Niemczech. Wiedziałam to od Christy, która przepisywała na maszynie listy Berthy do Hinnerka i przeczytała je głośno ojcu oraz mnie. Bertha pisała o świni, którą kupiła i umieściła w gospodarstwie siostry Hinnerka, Emmy. I akurat ta świnia, dokładnie ta spośród tak wielu wszystkich świń jej szwagierki, zdechła. Głupi przypadek. Nie, żeby Bertha potrafiła rozpoznać swoją świnię wśród innych, nie, musiała wierzyć Emmie. Co jej pozostało? O tym pisała do Hinnerka. I o tym, jak rowerem po śniegu pojechała do pewnego człowieka, któremu ojciec Berthy wyświadczył kiedyś przysługę. Kupiła u niego siekierę, bo jej stara była do niczego. Bertha harowała i potrafiła utrzymać rodzinę przy życiu. Mieli krowę imieniem Ursel. Do domu wprowadzili się obcy ludzie, uchodźcy z Prus Wschodnich, którzy zostali zakwaterowani przymusowo. Bertha pisała, że trudno było dzielić z nimi kuchnię. Po wojnie w domu mieszkali też angielscy żołnierze. Rozpalali w kuchni ognisko, tak po prostu, na podłodze. Byli strasznie głośni. Ale przyjacielscy w stosunku do dzieci. Bertha informowała o tłumach uchodźców, którzy szli w dół głównej ulicy. Dziewczynki stały przy płocie i patrzyły, jak codziennie setki ludzi z końmi, torbami, ręcznymi wózkami i koszami przechodziły obok domu. Uważały, że to bardzo interesujące. Przez kilka tygodni wszystko, co mogły znaleźć w domu, ładowały do wózka dwuletniej Harriet, wkładały, co tylko znalazły w szafach, i dreptały gęsiego po podwórku. „Bawimy się w uchodźców" – wyjaśniały matce, a potem kwaterowały się przymusowo w kurniku. O tym Bertha pisała do swego męża. Jechała przez całe Niemcy, żeby go odwiedzić. Bez dzieci.

A potem on wrócił. Nie był roztrzęsiony, nie był też zły ani chory. Nie był inny niż przedtem ani bardziej kapryśny, ani łagodniejszy. Po prostu był zadowolony, że znalazł się z powrotem w domu. Chciał, żeby wszystko znów było jak dawniej, i brał się w garść. Tylko jego najmłodsza córka, Harriet – gdy wyjeżdżał, była jeszcze niemowlęciem – nazywała go od tego czasu Fiodorem. Dlaczego, nikt nie wiedział. Kim był Fiodor? Christa i Inga wyobrażały sobie, że musiał to być mały rosyjski chłopiec ze skośnymi jasnoniebieskimi oczami i nastroszoną ciemną czupryną. Uratował dziadka, ukrywając go w swoim domku na drzewie i utrzymywał przy życiu, karmiąc skórkami chleba. Ale przecież dziadek w ogóle nie dotarł do Rosji.

Po powrocie Hinnerka Bertha bez szemrania usunęła się na drugi plan. Pokazała mu domowe księgi, które on sprawdził. Jemu pozostawiła decyzję, czy zatrzymać Ursel, czy ją sprzedać. Postanowił ją zatrzymać i została, chociaż dawała już niewiele mleka. Nadal jeszcze obcy ludzie mieszkali na piętrze domu. To się Hinnerkowi nie podobało. Klął na starsze małżeństwo drobnych ludzi, nawet jeśli mogli to usłyszeć. Nagle stało się za ciasno, a Bertha, która dotychczas wspaniale dzieliła kuchnię z tą parą, musiała teraz sporządzać plany, kto, kiedy i gdzie może przebywać. Wstydziła się, ale robiła to.

Hinnerk, chociaż później wystąpił z partii, sprawował urząd drugiego sędziego okręgowego. Zajmował więc wysoką pozycję w czasach reżimu nazistowskiego i wskutek tego stracił prawo wykonywania zawodu adwokata. Wkrótce został przez Amerykanów wysłany do obozu denazyfikacyjnego. Matka opowiadała mi, że ona i jej siostry co kilka miesięcy musiały się wszystkie elegancko ubrać, a potem jechały koleją do Darmstadt, żeby odwiedzić ojca. Gdy Inga, która miała wtedy osiem lat, zapytała go, co robi tam przez cały dzień, tylko na nią spojrzał. Nie odpowiedział.

W drodze powrotnej z tych odwiedzin Bertha wyjaśniała córkom, że Anglicy i Amerykanie sprawdzą ich ojca, żeby mógł wkrótce znów pracować. Matka wyznała mi, że jeszcze przez całe lata wyobrażała sobie egzaminy prawnicze tylko po angielsku.

Potem dziadek wrócił, odzyskał pozwolenie na wykonywanie zawodu adwokata i nigdy nie uronił ani słowa na temat tego półtora roku w obozie. A także o latach wcześniejszych.

Inga opowiadała, że w testamencie zadysponował, by spalić jego dzienniki po jego śmierci. I tak też uczynili.

– I nie zajrzałaś do nich przedtem? – zapytała Rosmarie z niedowierzaniem.

– Nie – odpowiedziała Inga i spojrzała na siostrzenicę.

Hinnerk lubił ogień. Widziałam często, jak przez cały dzień palił ognisko w ogrodzie. Stał tam i grzebał widłami w żarze. Gdy przyszłyśmy, Rosmarie, Mira i ja, powiedział:

– Wiecie, są trzy rzeczy, na które człowiek może nieustannie patrzeć i mu to nie zbrzydnie. Jedną jest woda. Druga to ogień. A trzecia – nieszczęście innych ludzi.

Plamy po ogniu na kuchennej podłodze, gdzie angielscy żołnierze rozpalali ognisko, wciąż było widać. Ale czerwony napis na kurniku zniknął tymczasem pod białą farbą. Cóż, prawie zniknął. Jeśli się o nim wiedziało, był widoczny. Ale uważałam, że można już to tak zostawić. Poszłam za róg, żeby rozejrzeć się za Maxem. Odłożył na bok duży wałek i teraz malował pędzlem.

– No, jak daleko się posunąłeś?

Nie podniósł wzroku, tylko w skupieniu malował dalej.

– Halo, Max! To ja. U ciebie wszystko w porządku? Czujesz przymus malowania? Masz obsesję? Może ci pomóc?

Malował jak wściekły środek ściany.

– Nie, wszystko w porządku.

Podeszłam bliżej, a wtedy zagrodził mi drogę i powiedział:

– Ach, skończyłaś już swoją ścianę? Chodź, zobaczymy. Da się jeszcze odczytać to słowo na N?

Popchnął mnie przy tym swoim ciałem z powrotem na moją stronę, obejrzał ścianę i orzekł:

– Jest już całkiem dobrze.

– Widać to jeszcze.

– Tak, ale tylko, jeśli się chce zobaczyć.

Wpatrywałam się w ścianę.

– Na Boga, ta ściana kurnika ma być jakimś symbolem czy co?

Ale Max nie słuchał. Zniknął za domkiem. Zaczęło zmierzchać. Pomalowana ściana biało świeciła. Dlaczego Max tak dziwnie się zachowywał? Stanęłam obok niego. Nadal nie podnosił wzroku. Widziałam, że nie malował tej ściany równomiernie od jednej do drugiej strony, tylko zaczął pośrodku. Coś zamalowywał. Przez chwilę myślałam, że był jeszcze jeden czerwony napis, którego nie dostrzegłam i chciał go przede mną ukryć. Może, żeby mi oszczędzić przykrości. Ale potem zobaczyłam, że usuwa coś, co sam namalował. Moje imię. Napisane mniej więcej tuzin razy.

– Iris, ja...

– Podoba mi się ta ściana.

Staliśmy oboje przed ścianą i dłuższy czas na nią patrzyliśmy.

– Chodź, skończmy już to, Max. Jest za ciemno na malowanie.

– To idź do domu. Ja dokończę.

– Nie bądź głupi.

– Naprawdę, sprawia mi to przyjemność. Poza tym to był mój pomysł, żeby zacząć jeszcze dziś wieczorem.

Proszę bardzo. Odwróciłam się i zaczęłam zbierać swoje narzędzia.

146

– Zostaw to wszystko. Ja to zrobię. Naprawdę – zapewnił.

Wzruszyłam ramionami i powoli poszłam przez ogród do drzwi wejściowych. Gdy przechodziłam koło róż, stwierdziłam, że wieczorem pachną bardziej melancholijnie niż za dnia.

Wypiłam duży kubek mleka i wzięłam ze sobą do łóżka tomik wierszy Hinnerka. Były napisane kaligraficznym pismem Sütterlina, ale od czego w końcu było się bibliotekarką? Mimo to musiałam się najpierw przyzwyczaić do jego odręcznego pisma. Pierwszy wiersz był ośmiozgłoskowcem o grubych i chudych kobietach. Potem dłuższy na temat chłopów, którzy cwanych prawników przechytrzyli udawaną głupkowatością. Znalazłam też rymowany przepis na zapobieganie zarazom. Zaczynał się tak:

> *Wrzosu kwiat, lepiężnik i przetacznik mały,*
> *Arcydzięgiel, litwor i plecha płucnicy,*
> *jałowiec, goryczki – niebieskie, nie białe,*
> *Kokornak w całości i ziele bylicy...*

Czytałam wiersze o błędnych ognikach na bagnach, o starym, dawno zasypanym piaskiem porcie na rzece Geeste, gdzie we wrześniu przy pełni księżyca cumowało puste czółno. I zawsze, kiedy odpływało, następnego dnia brakowało jakiegoś dziecka ze wsi. Hinnerk pisał o odgłosach, jakie dochodziły, gdy czterech mężczyzn na polach tłukło gburów i wywijało nimi. Był wiersz o emigrantach do Ameryki. Inny nosił tytuł *24 sierpnia* i traktował o dniu odlotu bocianów. W kolejnym chodziło o tłuczenie lodu nad stawem za wsią. Czytałam trochę sprośny wiersz o tym, jak gminny byk rozpłodowy wykończył krowę, którą trzeba było potem dorżnąć. O przyjemności płynącej z tańca na parkiecie u Tietjenów. Ostatnie dwa wiersze były dziwne, jeden miał tytuł *Dwunastka*, a chodziło w nim o sześć ostatnich nocy starego roku i sześć pierwszych nowego. Kto w tym czasie rozwieszał pranie, miał potrzebować całunu. Jeśli ktoś kręcił kółkiem, nawet kołowrotka, miał do niego przyjechać karawan. Bo w tym czasie szalał w powietrzu Hirskejäger, postać z północnoniemieckiej legendy. Ostatni wiersz z szarego tomiku traktował o wielkim pożarze w Bootshaven w roku narodzin Hinnerka. Ludzie krzyczeli w nim jak bydło, a bydło jak ludzie, gdy płonęła połowa wsi.

Wyłączyłam lampkę nocną i patrzyłam w czerń pokoju. Gdy oczy się do niej przyzwyczaiły, rozpoznały cienie i zarysy sprzętów. W szarym tomiku Hinnerka nie było ani jednego wiersza o wojnie. I żadnego, z którego można by wnosić, że wersy były pisane w obozie. W obozie, który służył wyłącznie do tego, by przywołać w pamięci osadzonych przerażające czyny z minionych lat, ich własne i innych. Myślałam o wierszach, w których była mowa o wsi Hinnerka i przesycała je miłość do miejscowości dzieciństwa. Dzieciństwa, którego przecież nienawidził.

I doszłam do wniosku, że nie tylko zapominanie jest formą przypominania sobie, lecz także przypominanie sobie jest formą zapominania.

Rozdział IX

Myślałam, oczywiście, o Maksie. Zastanawiałam się, czy tak się dystansował, bo ja się dystansowałam, czy też ja się dystansowałam, bo on się dystansował albo ponieważ ja chciałam się dystansować z powodów, nad którymi musiałam się zastanowić.

Następnego ranka – to musiał być wtorek – poszłam boso do dużej szafy i otworzyłam drzwi. Pachniało wełną, drewnem, kamforą i jeszcze troszeczkę dziadka tonikiem do włosów. Po krótkim namyśle wyjęłam białą sukienkę w jasnoszare kropeczki. Była kiedyś balową sukienką Ingi, cienką i lekką; wydawało się, że fala upałów nie mija. Usiadłam z herbatą na stopniach przed drzwiami. Teraz znów niezawodnie pachniało latem. Trzy puste wiadra po farbie u stóp schodów dostrzegłam dopiero, kiedy właśnie miałam wrócić do wnętrza. Poszłam wzdłuż domu do lasku. I rzeczywiście – wszystkie cztery ściany kurnika były pomalowane na biało. Tego się obawiałam. Wyglądał fantastycznie, jak mały letni domek. Jak długo jeszcze Max wczoraj malował? Obchodząc domek dookoła, widziałam jeszcze słowo „Nazista" prześwitujące spod białej farby. Wielokrotnie napisane „Iris" było już niewidoczne. Weszłam do małego domku, jednak mogłam w nim stać tylko pochylona.

Kiedy zaskoczył nas na dworze deszcz, Rosmarie, Mira

i ja wślizgiwałyśmy się tutaj. Ale często też bywałam tu sama. Przede wszystkim później, kiedy przyjeżdżałam na wakacje. We wrześniu Rosmarie czasem chodziła do szkoły, a ja jeszcze nie. Wtedy miałam przedpołudnie dla siebie. Zbierałam kamienie, które tutaj wyglądały całkiem inaczej niż w Badenii. U nas były głównie okrągłe, gładkie otoczaki, a tu leżały kamienie, które wyglądały jak szkło i rozbijały się prawie jak szkło. Jeśli rzuciło się je na twardą ziemię, odpryskiwały kawałki, ostre jak nóż. Mira nazywała je krzemieniami. Najczęściej były jasnobrązowe, szarobrązowe albo czarne, rzadko białe.

Otoczaków z Renu, które znałam z domu, nie dawało się roztłuc. Przez jakiś czas rozbijałam wiele kamieni, bo miałam nadzieję, że znajdę w nich kryształy. Miałam rozeznanie w kamieniach, im bardziej były szorstkie i niepozorne z zewnątrz, tym bardziej iskrzyły się w środku. Najczęściej znajdowałam je na starych torach kolejowych w lesie w pobliżu naszego domu. To ich kształt podpowiadał mi, że w środku coś jest. Ich krągłość wydawała się mniej przypadkowa niż zwykłych kamieni. Czasem kryształy przenikały aż do zewnętrznej warstwy, jak szklane okienka, przez które można zajrzeć. Ojciec podarował mi piłę do kamieni, więc siedziałam godzinami w piwnicy i przepiłowywałam kamienie. Piła wydawała okropne dźwięki, od których bolały mnie uszy. Pożądliwie oglądałam te połyskujące jamy. Z jednej strony czułam triumf i dumę, kiedy miałam rację, z drugiej strony wiedziałam, że robiłam coś nagannego, włamywałam się do czegoś, niszczyłam tajemnice. A jednak czułam ulgę, że te brązowe kamienie były nie tylko kamieniami, lecz kryształowymi jaskiniami dla wróżek i zaczarowanych istot.

Później przerzuciłam się na zbieranie słów i krystalicznych światów hermetycznej liryki. Ale za wszelkim zbieractwem kryła się ta sama zachłanność na zaczarowane śpiewające światy w rzeczach, które śpią. Miałam w dzieciństwie zeszyt na słówka, w którym gromadziłam słowa szczególne, tak jak przedtem gromadziłam muszelki i wyjątkowe kamienie. Były w nim kategorie: „piękne słowa", „brzydkie słowa", „fałszywe słowa", „przekręcone słowa" i „tajemne słowa". W części „piękne słowa" zapisałam: rzeżucha łąkowa, fiolet, poszukiwacz sensu, łutówka, chlebowiec, miażdżyć, trzepaczka, łokieć, chmura. Przy „brzydkich słowach" zanotowałam: wole, tułów, kikut, woskowina. „Fałszywe słowa" mnie oburzały, bo udawały, że są niewinne, a potem okazywały się podłe albo niebezpieczne, na przykład „działania uboczne" albo „pikować". Albo udawały, że są czarodziejskie, na przykład „koło ratunkowe" albo „szkółka leśna", a potem okazywały się rozczarowująco zwyczajne. Albo oznaczały coś, co dla nikogo nie było oczywiste; nie było przecież dwóch osób, które miały przed oczami ten sam kolor, jeśli się je zapytało o słowo „purpurowy"!

„Przekręcone słowa" stanowiły coś na kształt hobby. A może to była raczej choroba? W sumie na jedno wychodzi. Derkoz pfuczuby należał do moich ulubionych zwierząt, podobnie jak bangur kuszowy i brozd odrożny. Uważałam, że to zabawne mieszkać na zielonym kiblu i uwielbiałam jesienny wiersz, który zaczynał się od wezwania, by niezwłocznie przyjść do zaparkowanej w martwym punkcie trumny, a może idąc na śmierć, przyjść do parku, który właśnie zmienia swoje oblicze na inne, trumienne. Jak wyglądały schody schronu przeciwlotniczego, potrafiłam sobie wyobrazić, ale czym były schrony przeciwlotu schodowego? Podejrzewałam, że to rodzaje poręczy, których w razie upadku ze schodów można się chwycić, albo też kryjówki przed latającymi schodami.

Najtrudniej było znaleźć „tajemne słowa", tak zresztą wypadało. To były słowa, które udawały, że są zupełnie zwyczajne, ale potem okazywało się co innego – zawierały coś cudownego. Były więc przeciwieństwem „fałszywych słów". To, że w auli mojej szkoły odnajdywałam zaczarowaną południową wyspę, pocieszało mnie. Wystarczyło szkolną aulę, po niemiecku *Schulaula*, przeczytać jako szula-ula, i okazywało się, że był w niej ukryty skarb w postaci tajemniczej wyspy.

A znaki drogowe z napisem *Spurrillen* (koleiny) tak naprawdę sugerowały, że w pobliżu było do zjedzenia coś pysznego, sądząc z brzmienia, prawdopodobnie z kuchni austriackiej. Potrafiłam sobie wyobrazić ciepłe kluski o takiej nazwie, z waniliowym sosem i cieszyłam się za każdym razem, kiedy przejeżdżaliśmy obok takiego znaku. Albo słowo *Lachsalven* (salwy śmiechu) dzieliło się dla mnie nie na *Lach* i *Salven*, lecz zupełnie inaczej, na *Lachs* (łosoś) i Alven i wyobrażałam sobie wówczas rzadką i nadzwyczaj smaczną odmianę łososia o nazwie Alven. Grillowaną z odrobiną oliwy, poezja.

Wspomnienia sprawiły, że poczułam głód, weszłam więc do domu. Niestety, w kuchni nie było już prawie nic jadalnego. Zjadłam czarny chleb i czekoladę z orzechami i postanowiłam pójść potem na zakupy.

Pobiegłam na górę i przyniosłam sobie twardy jak deska ręcznik frotté w kwiatki, wyjęty z małego kufra na bieliznę w pokoju Ingi. Przymocowałam go do bagażnika roweru i pojechałam nad jezioro. Był zupełnie zwyczajny powszedni dzień. Miałam wyrzuty sumienia, bo ani nie było mnie w bibliotece, ani nie zatroszczyłam się o sprawy spadkowe, a i zdruzgotana żałobą też nie byłam. Cóż, wzięłam sobie wolne, nawet jeśli tylko przez automatyczną sekretarkę. Nie zostawiłam adresu ani numeru telefonu, ale niby jak? Musiałam później spróbować jeszcze raz dodzwonić się do szefowej.

*

Mój zawód był oczywiście tylko kontynuacją zbierania tajemnic. I tak jak później kamieni, w których podejrzewałam obecność kryształów, już nie rozcinałam, tylko przechowywałam, przestałam też czytać książki, które naprawdę mnie interesowały, i zainteresowałam się książkami, których nikt nie czytał.

Gdy byłyśmy mniejsze, Rosmarie dworowała sobie zawsze, że traktowałam jako osobistą obrazę, jeśli orzechy, które rozłupywałyśmy, okazywały się puste. Nie mogłam przestać zastanawiać się nad tym, jak orzech wydostał się przez szczelną skorupkę. Ulubionym żartem Rosmarie było wyjedzenie łyżeczką jajka na miękko na śniadanie i podanie mi go później tak, by odcięty czubek skorupki był schowany na dnie kieliszka. Kiedy uderzałam w jajko i trafiałam łyżeczką w próżnię, za każdym razem płakałam w głos. A teraz dostałam ten dom. Gdybym go odrzuciła, już zawsze śniłabym o nim.

Poranna mgła unosiła się jeszcze nad torfowym jeziorem. Położyłam rower na spadzistym, porośniętym trawą brzegu i rozebrałam się. Sukienka jak chmurka spadła na rosę. Rozłożyłam ręcznik, a na nim ułożyłam swoje rzeczy, żeby kompletnie nie przemokły. Gdy brodziłam, wchodząc do głębszej wody, chmara małych rybek krążyła wokół moich kostek i ratowała się ucieczką w czerń. Było zimno. Znów zadawałam sobie pytanie, co tam w środku pływa. Nurkowanie nigdy mnie nie pociągało, lubiłam wzburzone morze, mętne stare żwirownie i ciemne bagienne jeziora. Bo w końcu wcale nie chciałam dokładnie wszystkiego wiedzieć.

Długimi ruchami przepłynęłam jezioro. Małe pęcherzyki powietrza łaskotały mnie w brzuch. Pływanie nago było pięknym doznaniem, na całym ciele tańczyły przy tym wszelakie turbulencje i wiry. Bo bez kostiumu kąpielowego nie miało się prostych, opływowych linii. Teraz przynajmniej miałam ciało, które traktowałam jak swoje. Trwało to dosyć długo. Pochłanianie książek i kanapek czyniło mój umysł lekkim, a ciało leniwym. Ponieważ wtedy nie lubiłam na siebie patrzeć, szukałam swego odbicia w różnych historiach. Jedzenie, czytanie, jedzenie, czytanie. Gdy później przestałam czytać, przestałam też żreć. Przypomniałam sobie znów swoje ciało. Przecież jakieś miałam. Może trochę zapuszczone, ale było, i zaskoczyło mnie rozmaitością kształtów, linii i powierzchni. Wspólna przebieralnia na basenie przestała mnie przerażać, i wtedy wiedziałam, że jestem już przypadkiem z kategorii osobnych kabin dla pań.

Przypadek, wypadek, upadek, przypadać, powalać, upadać, ku czci Rosmarie. Jej ciało rozpadło się, zanim się jeszcze do końca poskładało. Wszystkie dziewczynki były przecież opętane swoimi ciałami, bo nie miały jeszcze ciał. Były jak ważki, które latami mieszkały pod wodą i żarły, i żarły. Co jakiś czas sprawiały sobie nową skórę i żarły dalej. Potem stawały się nimfami. Nimfy po długim źdźble wydostawały się z wody, dostawały nowe ciało i odlatywały. To mogłoby się zgadzać. Gdy Harriet była w wieku Rosmarie, już umiała latać.

Tuż przed drugim brzegiem zawróciłam i popłynęłam z powrotem. Mgła tymczasem prawie opadła, tylko nad lustrem wody wisiała jeszcze cienka warstewka pary. Kiedy akurat chciałam sprawdzić stopą dno, zobaczyłam Maxa. Położył swój rower obok mojego, ale nie patrzył w moją stronę, tylko szybko zdjął koszulę i szorty i wbiegł do wody, że aż się rozpryskiwała. Zanurzył się i od razu zaczął płynąć kraulem. Ale gdy prawie już przepływał obok mnie, nagle się zatrzymał, odwrócił się i podniósł rękę.

– Hej, Iris.

– Dzień dobry.

Podpłynął bliżej. Nie wiedziałam, co powiedzieć. On najwyraźniej też nie. Staliśmy naprzeciwko siebie i unikaliśmy patrzenia na siebie nawzajem. Naciągnęłam wodę jak kołdrę aż pod brodę, patrzyłam na jego ramiona i obserwowałam, jak spływają z nich krople wody. Na co on patrzył, stojąc tak blisko mnie, nie mogłam wprawdzie zobaczyć, ale czułam. Szybko założyłam ręce przed biustem. Wtedy w końcu spojrzał mi w twarz.

Powoli wyjął rękę z wody i powiódł palcem wskazującym wzdłuż linii moich obojczyków, po czym znów zanurzył rękę. Stał blisko. Przycisnęłam ręce jeszcze mocniej do siebie. Pochylił się i pocałował mnie w usta. Jego wargi były ciepłe, miękkie i dobre. Musiałam chwycić się jego ramion. Zakręciło mi się w głowie. Przyciągnął mnie do siebie. Gdy moje piersi dotknęły jego tułowia, poczułam, jak jego ciało się napina. Nie mogę powiedzieć z całą pewnością, co potem robiłam, jak długo – również nie. Wkrótce jednak wylądowaliśmy na wąskim pasie piasku na brzegu. Czułam chłód wody na jego ciele pode mną, jego ptaszka w mokrych kąpielówkach, jego wargi na mojej szyi. Gdy pomagałam mu zdejmować kąpielówki, nagle chwycił mnie za ręce.

– Nie uprawiam seksu pod gołym niebem z klientkami – powiedział.

– Doprawdy? Nie widzisz, że właśnie zabierasz się do uprawiania seksu z klientką pod gołym niebem?

– O Boże! W ogóle nie uprawiam seksu z klientkami. Kropka. Ani pod gołym niebem, ani nigdzie indziej.

– Jesteś pewny?

– Nie. Tak! Nie. Iris, co ty ze mną robisz?

– Uprawiam seks pod gołym niebem?

– Doprowadzasz mnie do szaleństwa. Swoim zapachem i swoim chodem, swoimi ustami i swoim gadaniem.

– Czym moim?

Potoczyłam się po piasku. Max prawdopodobnie miał rację. To był głupi pomysł. Był młodszym bratem Miry, poza tym moim adwokatem i adwokatem moich ciotek. Musieliśmy jeszcze porozmawiać o tym, co będzie się działo z moim domem, jeśli nie przyjmę spadku. To, co teraz robiliśmy, niepotrzebnie wszystko by skomplikowało. Stosunek do jego siostry i Rosmarie też stałby się bardziej skomplikowany. Jak skomplikowany, w ogóle nie wiedziałam. Położyłam sobie dłonie na oczach. Pod palcem wskazującym wymacałam bliznę u nasady nosa.

Wtedy poczułam jego palce na dłoniach.

– Nie. Iris, chodź tu. Co się stało? Hej, ty!

Głos Maxa był miękki i ciepły, tak jak jego usta.

– Iris, nie potrafisz sobie nawet wyobrazić, jaką mam ochotę kochać się z tobą nad jeziorem. Nawet nie mam odwagi ci powiedzieć, że miałem ochotę kochać się z tobą już w kurniku, w twoim łóżku, w mojej łazience, w składzie budowlanym i – Boże, miej mnie w swojej opiece – na cmentarzu.

Musiałam się uśmiechnąć pod osłoną dłoni.

– Ach tak?

– Tak!

– W składzie budowlanym, hmm?

– Tak!

– Z tą białą farbą, spływającą mi między piersiami?

– Nie. To była bardziej fantazja spod kurnika. W składzie budowlanym widziałem raczej wszystkie te śrubki i nakrętki, i wiertarki, i kołki, i...

Wyprostowałam się i patrzyłam, jak Max próbuje stłumić śmiech. Z wysiłku aż zaczął drżeć. Gdy uchwycił moje spojrzenie, w końcu głośno się roześmiał. Uderzyłam go pięścią w pierś, upadł na plecy i dalej się śmiał. Chwycił mnie przy tym za ręce i pociągnął za sobą, tak że moje nagie ciało znów leżało na nim. To było jak kopnięcie prądem. Już się nie śmiałam.

Mogłam się z nim natychmiast kochać pod gołym niebem. On jednak prawie grubiańsko odepchnął mnie, pokręcił głową i poszedł pływać. Nawet się nie obejrzał, płynąc kraulem przed siebie. Wstałam, narzuciłam sukienkę i odjechałam.

Zostawiłam rower przed drzwiami, weszłam do środka i włożyłam czarne ubrania z pogrzebu; po doświadczeniach ze złotą sukienką w składzie budowlanym uważałam, że to bardziej rozsądne. Chwyciłam torebkę i pojechałam do sklepu Edeka. Kupiłam chleb, mleko, masło, migdały, dwa rodzaje sera, marchewkę, pomidory, jeszcze więcej czekolady z orzechami, płatki owsiane i duży arbuz, bo było mi strasznie gorąco. W domu włożyłam wszystko do lodówki, zadzwoniłam do Fryburga i porozmawiałam z szefową. Jeszcze raz złożyła mi kondolencje i wykazała zrozumienie, że muszę wyjaśnić sprawy spadkowe.

– Proszę to zrobić najszybciej jak to możliwe – dodała i westchnęła. – Im szybciej zdecyduje pani o tych sprawach, tym lepiej. Mój brat i ja wciąż jeszcze nie możemy się dogadać, chociaż nasi rodzice nie żyją od lat. Tu jest wiele roboty. Wakacje tuż, tuż, ale niech się pani nie martwi. Jest nas tu wystarczająco dużo, pani Gerhardt wróciła z urlopu. Proszę więc zostać tam tak długo, jak pani musi. Pani głos nie brzmi za dobrze, kochana pani Berger. No tak. Czyli w tym tygodniu nie liczę na panią, tak? Tak. Nie ma tematu. Wszystko jasne. Do usłyszenia, do usłyszenia, pani Berger.

Odłożyłyśmy słuchawki. Mój głos nie brzmiał dobrze? No jasne. Byłam zła, zmieszana i zmartwiona odrzuceniem przez Maxa. Ale co zrobiłam, żeby tak się nie stało? Wycofałam się zawstydzona. Z pogardą do siebie stwierdziłam, że nie posunęłam się dużo dalej niż kobiety z poprzedniego pokolenia. Zwłaszcza jeśli chodzi o stanowienie o sobie. Ale nic dziwnego. W końcu byłam córką najbardziej skrępowanej spośród trzech sióstr Lünschen.

*

Christa była przywiązana do Bootshaven, do nieba nad pustymi płaszczyznami, do wiatru w swoich brązowych włosach, które wciąż jeszcze nosiła ostrzyżone na krótko. Przy wierszu Storma o szarym mieście nad szarym morzem oczy jej wilgotniały i deklamowała trzecią zwrotkę drżącym głosem, co sprawiało mi przykrość. Kiedy w dzieciństwie, a i potem, jako nastolatka, w niektóre letnie wieczory wchodziłam do salonu, mogło się zdarzyć, że matka tam siedziała w mroku – skurczona w kucki przy brzegu sofy, z dłońmi pod ramionami – i kołysała się gwałtownie w tył i w przód, ze spojrzeniem wbitym w podłogę. To były krótkie, szybkie ruchy, żadne bujanie wśród marzeń. Jedne części jej ciała zdawały się walczyć z innymi, nogi zaciskały się. Spiczaste chłopięce kolana wciąż uderzały w jej piersi. Zęby mocno przygryzały dolną wargę. Uda miażdżyły dłonie.

Moja matka poza tym nigdy nie siedziała bezczynnie. Albo pracowała w ogrodzie, wyrywała chwasty, przycinała gałęzie, zbierała owoce, spulchniała, kosiła, kopała albo sadziła. Albo wieszała pranie, sprzątała w regałach i skrzyniach, maglowała prześcieradła, poszwy i ręczniki maglownicą w piwnicy. Piekła drożdżowe ciasto albo smażyła marmoladę. Albo w ogóle jej nie było, bo aż do wyczerpania biegała przez pełne kurzu pola szparagów i robiła to, co nazywała biegiem przełajowym. Gdy wieczorem siadała na sofie, to tylko po to, by po wiadomościach pooglądać telewizję albo przeczytać gazetę i niebawem zasnąć, czasem zerwać się i trochę ponarzekać: że już się zrobiło późno i że my – czyli ojciec i ja – powinniśmy w końcu iść do łóżka, i że ona, Christa, już do niego idzie. I tak też czyniła.

Ale w niektóre wieczory, te, gdy zastawałam ją przy sofie – może było ich siedem, może osiem – nastawiała głośno gramofon. Nadzwyczaj głośno. Niestosownie głośno. Buntowniczo głośno. Znałam tę płytę. Na okładce był mężczyzna z brodą, w rybackiej koszuli i czapce z daszkiem, przypominającej marynarską, gdzieś na jakiejś łące czy plaży. Śpiewał dolnoniemieckie piosenki do wtóru gitary. *Ick wull wi weern noch kleen, Jehann!** – wołał przez nasz salon ten mężczyzna mniej z tęsknotą, bardziej z żądaniem. Nie wiedziałam, czy mam po prostu sobie pójść, bo najwyraźniej wdarłam się w obszar, w którym nie było dla mnie miejsca. Ale nie wychodziłam, bo chciałam, żeby to się skończyło. Chciałam, żeby moja matka znów była moją matką, a nie Christą Lünschen, łyżwiarką z Bootshaven. Z jednej strony to, że widzę matkę kiwającą się w kucki, łamało mi serce i robiłam sobie wyrzuty, ponieważ ojciec i ja najwyraźniej nie daliśmy rady jej uszczęśliwić. Z drugiej strony byłam oburzona i traktowałam jej tęsknotę za domem jak zdradę.

Stawałam więc w drzwiach, bo nie mogłam tam wejść, ale też nie mogłam pójść sobie. Gdy trwało to zbyt długo, ruszałam się jednak. Matka podnosiła wzrok, przestraszona, czasem nawet wyrywał jej się okrzyk. Wstawała i wyłączała płytę. Głosem, który miał brzmieć dziarsko, mówiła:

– Iris, zupełnie cię nie słyszałam! Jak było u Anni?

Jeśli brzmiało to jak głos osoby przyłapanej, to miała chyba coś do ukrycia. Czyli jednak zdrada. Mówiłam pogardliwie:

– Czegóż ty słuchasz? Koszmarne.

Potem wchodziłam do salonu, otwierałam szafkę ze słodyczami, do której wolno mi było zajrzeć tylko za pozwoleniem rodziców, brałam sobie duży kawałek czekolady, odwracałam się i szłam na górę do swojego pokoju, żeby poczytać.

Czy Bertha też tęskniła za domem? Bertha, która nigdy swojego domu nie opuściła? To, że dom opieki nazywa się

---

* „Chcę, żebyśmy byli jeszcze mali, Johannie!".

akurat domem, było podłością, która określeniu „dom opieki" na zawsze zapewniła najwyższe miejsce na liście „fałszywych słów".

Odkąd Bertha trafiła ze swego domu do domu opieki, nigdy już nie wiedziała, gdzie się znajduje. A jednak wydawało się, że wie, gdzie nie jest. Wciąż napełniała walizki, torby, plastikowe torebki, kieszenie płaszcza różnymi przedmiotami. I każdego, kto znalazł się w pobliżu, czy był gościem, córką czy współmieszkańcem, pytała, czy mógłby ją zawieźć do domu. Dom opieki sprawiał Bercie ból. To był drogi, prywatny dom opieki. Ale pensjonariusze z demencją bez wątpienia należeli do najniższej kasty w hierarchii społecznej tej placówki. Zdrowie było dobrem najwyższym. Fakt, że się przedtem było burmistrzem, bogatą damą z towarzystwa czy uznanym naukowcem, nie odgrywał żadnej roli. Przeciwnie, im wyższą pozycję ktoś kiedyś zajmował, tym niżej mógł upaść. Jeżdżący na wózkach byli wprawdzie w stanie grać w brydża, ale nie mogli już pójść na potańcówkę przy herbatce. To niezbity fakt. Oprócz jasności umysłu i fizycznego zdrowia w domu opieki można sobie było zapewnić szacunek i uznanie jeszcze jednym – wizytami. Liczyła się częstość wizyt, ich regularność i czas trwania. Dobrze było też, gdy nie zawsze przychodziły te same osoby. Mężczyźni liczyli się bardziej niż kobiety. Młodsi goście byli lepsi od starych. Mieszkańców domu opieki, których rodziny często przyjeżdżały, szanowano; bez wątpienia musieli w życiu postępować jak trzeba.

Najwierniejsza koleżanka Berthy, Thede Gottfried, przyjeżdżała w co drugie wtorkowe przedpołudnie; jej szwagierkę umieszczono w tym samym domu. Christa odwiedzała Berthę tylko podczas ferii i wakacji, ale wtedy codziennie. Ciotka Harriet przychodziła we wszystkie dni tygodnia, ciotka Inga w każdy weekend.

Bertha zapominała po kolei swoje córki. Najpierw najstarszą. Wprawdzie jeszcze długo wiedziała, że Christa należy do niej, ale imię nic jej już nie mówiło. Najpierw nazywała ją Ingą, później Harriet. Inga jeszcze przez pewien czas była Ingą, potem też stała się Harriet. Harriet pozostała Harriet bardzo długo, ale w którymś momencie, znacznie później, nawet ona stała się obcą osobą. Ale wtedy Bertha już była w domu opieki.

– Tak jak z tymi trzema małymi świnkami – powiedziała Rosmarie.

Nie wiedziałam, co ma na myśli.

– No tak, pierwsza biegnie do domu tej drugiej, ten się zawala i obydwie biegną, gdy zawala się drugi dom, do domu tej trzeciej.

Kamienny dom Berthy. A teraz ma być mój?

Moja matka wtedy bardzo brała sobie do serca fakt, że matka nie pamiętała jej imienia. Może wydawało jej się niesprawiedliwe to, że ona sama nie potrafiła zapomnieć swojej ojczystej krainy, a jej ojczysta kraina nie miała nic lepszego do zrobienia, niż ją zapomnieć. Inga i Harriet przyjęły to spokojniej. Inga trzymała rękę Berthy, głaskała ją i patrzyła z uśmiechem w oczy. Bertha to lubiła. Harriet wychodziła z Berthą do toalety, wycierała ją, myła jej ręce. A Bertha mówiła Harriet, że jest kochana, i że ona, Bertha, bardzo się cieszy, że ma Harriet.

Indze nie przeszkadzało nazywanie jej imieniem Harriet, ale gdy Bertha kiedyś zwróciła się do niej imieniem Christy, poczuła złość. Christy tu nie było. Nie trzymała matki za rękę. Nie chodziła z nią do toalety. Miała męża. Hinnerk ją najbardziej kochał. Niektórych rzeczy nigdy nie da się wybaczyć. Gdy Christa przyjeżdżała podczas ferii i troszczyła się o matkę, Indze i Harriet było trudno zachowywać się miło i bez uprzedzeń. Gdy Christa smuciła się i szokowało ją pogorszenie się pamięci Berthy, młodsze siostry nie potrafiły okazać zrozumienia. Odczuwały raczej pogardę. Ich siostra nie miała przecież pojęcia, jak wszystko to było straszne, męczące i przerażające.

Ostatniej niedzieli, we wczesnych godzinach popołudniowych Bertha zmarła wreszcie na letnią grypę. Jej ciało zapomniało po prostu, jak się odzyskuje siły po takiej chorobie.

Ciotka Inga trzymała ją za rękę. Zawołała pielęgniarkę. Potem zadzwoniła do Harriet. Ta natychmiast przyjechała i widziała, jak matka bierze ostatni oddech. Z lekko ściągniętymi brwiami, jak gdyby musiała sobie coś przypomnieć. Nos, długi i spiczasty, odznaczał się wyraźnie. Na białej szafce nocnej stał plastikowy kubek z sokiem jabłkowym.

Dopiero wieczorem zadzwoniły do Christy. Matka odłożyła słuchawkę i zaczęła płakać. Potem wciąż i wciąż pytała ojca:

– Dlaczego tak długo czekały, zanim mi to powiedziały? Dlaczego? Co sobie myślały? Jak bardzo muszą mnie nienawidzić?

Niektórych rzeczy nigdy nie da się wybaczyć.

Przy grobie, kiedy kolejno mieliśmy rzucać kwiaty na dębową trumnę, trzy siostry stały blisko siebie. Christa po prawej, Inga w środku, Harriet po lewej. Matka zdjęła swoją dużą czarną torebkę z ramienia i otworzyła. Dopiero teraz zauważyłam, jak bardzo torebka się rozciągnęła, wyglądała na mocno wypchaną. Christa zrobiła krok do przodu, zajrzała do torebki i zawahała się. Wyciągnęła coś w czerwone i żółte paski. Pończochę? Wrzuciła to do dołu w ziemi. Potem wyjęła z torebki następną pończochę – a może to była łapka do garnków? – i też ją rzuciła. Zrobiło się zupełnie cicho, wszyscy żałobnicy próbowali dojrzeć, co Christa robi. Jej siostry postąpiły krok naprzód i stanęły obok niej. Christa energicznym ruchem wywinęła w końcu torebkę i po prostu wszystko wysypała. Dopiero wtedy pojęłam, co dała matce do grobu: dziergane robótki ze skrzyni w szafie na ubrania, Berthy luki w pamięci, zaklęte w wełnę.

Gdy torebka była pusta, matka ją zapięła i bardzo precyzyjnie zawiesiła sobie na ramieniu. Prawa ręka Ingi chwyciła dłoń starszej siostry, Harriet wzięła lewą. Stały tak we trzy przez dłuższą chwilę nad dołem, w którym Bertha spoczęła pod kolorowymi dzierganymi rzeczami. Teraz znów stały się „wspaniałymi dziewczynami Hinnerka". I wiedziały, że we trzy zawsze byłyby najsilniejsze.

Jak to było z ciotką Ingą, najwspanialszą ze wszystkich dziewczyn? Chciałam to w końcu wiedzieć, chwyciłam więc cienką białą sukienkę, leżącą na krześle. Moja czarna znów była całkiem przepocona. Wsiadłam na rower i pojechałam.

Pan Lexow mieszkał zaraz obok szkoły, a ta mieściła się niedaleko kościoła, który stał niedaleko domu. Tu nigdzie nie było daleko. Nie wiem, czy zadzwoniłabym do jego drzwi, ale na szczęście pielił chwasty w ogrodzie. Grządki już podlał, bo wisiał nad nimi ostry zapach wody wylanej na rozpaloną ziemię. Zsiadłam z roweru, a on podniósł wzrok.

– Ach, to pani.

W jego głosie brzmiała ostrożność, ale widziałam, że się ucieszył.

– Tak, znowu ja. Proszę wybaczyć, że przeszkadzam, ale...

– Najpierw proszę wejść, Iris. W ogóle mi pani nie przeszkadza.

Przepchnęłam rower przez małą furtkę i oparłam o ścianę domu. Ogród był ładny i zadbany, wszędzie wyrastały w górę duże kosmee, margerytki, róże, lawenda i maki. Na starannie utrzymanych grządkach rosły ziemniaki, fasolka szparagowa i pomidory. Mogłam też dostrzec krzaki porzeczek czerwonych i czarnych, agrest i maliny. Pan Lexow zaproponował mi miejsce na ławce w cieniu leszczyny, poszedł do domu i zaraz wrócił z tacą i dwiema szklankami.

Zerwałam się, żeby mu pomóc. Kiwnął głową i powiedział, że w kuchni jest też sok i woda. Przyniosłam lepką butelkę z sokiem z czarnego bzu własnej roboty i butelkę wody mineralnej. Pan Lexow nalał do szklanek i usiadł obok mnie. Chwaliłam ogród i sok, a on kiwał głową. Potem spojrzał na mnie i powiedział:

– No to już, niech pani mówi.

Roześmiałam się.

– Z pewnością był pan dobrym nauczycielem.

– Tak. Byłem. Przede wszystkim byłem nim długo. A więc?

– Muszę porozmawiać o Bercie.

– Chętnie. Nie ma wielu ludzi, z którymi mogę rozmawiać o Bercie.

– Niech mi pan o niej opowie. Pomagał jej pan pod nieobecność dziadka? Jak to było z tymi dziećmi?

Chciałam się, oczywiście, więcej dowiedzieć o Indze, ale nie miałam odwagi zapytać obcesowo.

Na ławce stojącej w cieniu panowało przyjemne ciepło. Po zamęcie dzisiejszego ranka nad jeziorem poczułam się nagle ociężała i zmęczona. Zamknęłam oczy i słuchałam spokojnego głosu pana Lexowa, a jego opowieści towarzyszyło brzęczenie pszczół.

Bertha z pewnością kochała Hinnerka Lünschena, ale on nie traktował jej tak, jak na to zasługiwała. Musiałaby po prostu, wbrew niemu, stawiać na swoim, ale on chybaby się z nią nie ożenił, gdyby tak postępowała. A ona i tak go kochała. Czy Hinnerk kochał ją? Być może. Na pewno. Na swój sposób. Kochał ją, bo ona go kochała, a może to kochał w niej najbardziej: jej miłość do niego.

I Inga. Cóż za przepiękna dziewczyna! Pan Lexow chętnie byłby jej ojcem, ale ostatecznie nie wiedział, czy jest jego córką. Z pewnością mogła być, ale nigdy z Berthą o tym nie rozmawiał. Nie miał odwagi i myślał, że można by o tym porozmawiać na starość, kiedy umrze Hinnerk, kiedy już się będzie trochę ponad ziemskimi sprawami, ale tak się nie stało. A potem było za późno. Bertha w ogóle nie chciała z nim rozmawiać. Witała się z nim, ale nie odpowiadała na żadne pytania. Mówiła:

– To wszystko było tak dawno temu.

Martwiło to pana Lexowa. Dopiero później pojął, że wtedy już nie umiała odpowiadać na pytania, ale jeszcze całkiem zręcznie potrafiła ich unikać.

Inga przyszła na świat w czasie wojny, w grudniu 1941 roku. Wtedy Hinnerk był jeszcze w domu. Podczas ferii wielkanocnych pan Lexow znalazł czas, żeby przynieść Bercie kilka bulw dalii. Podziwiała je jesienią. To były wspaniałe dalie, na mocnych łodygach w kolorze czerwonego wina, z dużymi kwiatami w lawendowym odcieniu, który u dalii był niespotykany. Pan Lexow nigdy nie zapomniał nocy w sadzie Deelwaterów, tak jak nie mógł zapomnieć siostry Berthy – Anny. Przyniósł Bercie kosz z tymi bulwami prosto do kuchni. Wszedł od tyłu przez sień, jak się zwykle na wsi robiło. Tylko obcy dzwonili do drzwi frontowych. Bertha obierała kraby opasana niebieskim fartuchem, na stole stała miska z krabami, a na kolanach babki leżał papier gazetowy, na który wyrzucała pancerzyki. Pan Lexow postawił swoją łubiankę obok drzwi do piwnicy. W następnym albo jeszcze kolejnym tygodniu można już było posadzić bulwy. Rozmawiali o Annie. Chciał wiedzieć, czy rozmawiała z Berthą tuż przed swoją śmiercią. Bertha spojrzała na niego z namysłem, nie przestając obierać krabów. Jej palce chwytały skorupiaka, kciuk przełamywał go za głową i palce ściągały szybko, mocno, ale też delikatnie obydwie połowy pancerza, tak że odnóża i czarny kręgosłup odchodził wraz z nimi. Bertha nic nie powiedziała i znów pochyliła się nad krabami. Patrzył na nią. Pasemko jej jasnych włosów wysunęło się z wysoko upiętej fryzury. Zanim się zdążył zastanowić, wziął to pasemko i zatknął jej za ucho. Przestraszona chwyciła go za włosy i złapała za rękę. Dłoń Berthy była zimna i pachniała morzem.

– Tak – szepnęła Bertha. – Tak.

Anna z nią rozmawiała, ale ona niewiele z tego zrozumiała. Ale tak, to miało coś wspólnego z nim, panem Lexowem. Carsten Lexow odchodził od zmysłów. Od tej nocy minęło piętnaście lat, podczas których każdego dnia myślał o niej. Padł przed Berthą na kolana i coś tam jąkał, ona patrzyła na niego bezradnie, ale pełna współczucia. Ujęła jego twarz pomiędzy nadgarstki. Do jej mokrych od krabów palców przykleiły się maleńkie różowe szczypce i nóżki. Gazeta z pancerzykami zsunęła się z kolan Berthy. Wtedy on ukrył twarz na jej łonie. Jego ciało drgało. Czy od płaczu, czy z innego powodu, Bertha nie była w stanie powiedzieć. Głaskała go przedramieniem po plecach jak dziecko.

Małej Christy nie było w domu. Służąca Agnes poszła do swojej matki, która zraniła się w stopę. Agnes musiała się o nią zatroszczyć, ale wzięła ze sobą dziecko, żeby Bertha nie ucierpiała z tego powodu. Hinnerk był w pracy, nie w biurze, tylko przy jeńcach. Pan Lexow trochę się uspokoił, ale głowę pozostawił na kolanach Berthy. Ujął nogi kobiety tkwiące w grubych butach, i zaczął gładzić je dłońmi od kostek w górę, aż pod spódnicę. Z twarzą w jej fartuchu wdychał zapach morskich stworzeń. Bertha nie myślała już o dziecku. Zamilkła i wstrzymała oddech. Do jej uszu docierały urywane zdania, miłosne zaklęcia, szloch wzruszenia, a ona na to pozwalała. Siedziała niema, marszcząc czoło i czuła, jak jej podbrzusze staje się coraz cieplejsze i cięższe. I chociaż kochała Hinnerka, a nie pana Lexowa, czegoś takiego nie przeżyła przez pięć lat małżeństwa. Carsten Lexow wyprostował się, pocałował ją i wiedział: to nie były te usta, co tamtej nocy. Już chciał odejść, kiedy zobaczył, że po policzku Berthy spływają łzy. Nie jedna czy dwie, tylko wiele, cała powódź. Fartuch na piersiach był już całkiem mokry, ale jej ramiona się nie ruszały. Nie wydała też żadnego dźwięku. Jej szyja była czerwona, mokra i słona, gdy ją całował. Nagle wstała, wytarła dłonie w fartuch i poszła do sypialni naprzeciwko kuchni. Tam zaciągnęła zielone zasłony i odwiązała fartuch. Zdjęła buty, spódnicę, bluzkę i położyła się do łóżka. Carsten Lexow zdjął spodnie, koszulę, skarpety i położył wszystko na podłodze przy łóżku. Przyszedł do niej i wziął ją w ramiona, myśląc przy tym o nocy w sadzie. Kochał się wtedy z niewłaściwą, a całował właściwą? Czy kochał się z właściwą, a całował niewłaściwą? Chyba między rybą i solą a smakiem jabłek jest różnica?

Przez cały czas, który Carsten Lexow spędził w łóżku Berthy, łzy ciekły jej po twarzy jak dwie wąskie i długie zatoki morskie.

Tej samej nocy spała ze swoim mężem, który dostał na kolację czarny chleb z krabami i jajecznicę. W kuchni stały uwalane ziemią bulwy dalii, w słabym świetle kuchennej lampy połyskiwały żółtawo. Powiedziała, że pan Lexow przyniósł tę lubiankę.

– Pan Lexow, ten to ma dobrze. Kwiaty. W samym środku wojny.

Hinnerk parsknął pogardliwie, odkroił kawałek chleba i wkładał go widelcem do ust. Bertha obserwowała, jak niektóre z delikatnych różowych krabów spadają z kromki z powrotem na talerz.

Dziewięć miesięcy później na świat przyszła Inga. Rozpętała się wtedy rzadko spotykana, trochę niesamowita zimowa burza, podczas której padał grad lodowych kulek wielkości wiśni, a błyskawice przecinały ciemność. Pani Koop, która pomagała Bercie przy porodzie, przysięgała, że błyskawica uderzyła w dom i spłynęła do ziemi po piorunochronie.

– Gdybyśmy to dzieciątko włożyli do wanny, już by nie żyło. – A potem zazwyczaj dodawała: – Chyba jeszcze jakaś siła czuwała nad tym małym, biednym dziewczątkiem.

Gdy była przy tym Rosmarie, pytała nieco wyższym niż zwykle głosem:

– Biednym robaczkiem, prawda?

Pani Koop patrzyła podejrzliwie, ale nie wiedziała, co powinna powiedzieć i po prostu otaczała się znaczącym milczeniem.

Pan Lexow zamilkł i patrzył na mnie z oczekiwaniem. Przestałam marzyć i oszołomiona wyprostowałam się.

– Przepraszam, słucham?

– Pytałem, czy nigdy o mnie nie mówiła.

– Kto?

– Bertha.

– Nie, panie Lexow, przykro mi. Ze mną nie rozmawiała o panu. Również później nie. No tak.

– Tak?

– Raz, dwa razy, ale nie, nie wiem, a więc raz, może dwa razy zawołała: „Nauczyciel tu jest", gdy ktoś wchodził. Ale nic więcej nie mogę sobie przypomnieć.

Pan Lexow skinął głową, patrząc w ziemię.

Wstałam.

– Bardzo dziękuję, naprawdę doceniam to, że mi pan o tym wszystkim opowiedział.

– Tak wiele to nie było. Ale zrobiłem to z chęcią. Proszę pozdrowić ode mnie matkę i ciotki.

– Proszę, niech pan nie wstaje, po prostu wyprowadzę swój rower i zamknę za sobą furtkę.

– To rower Hinnerka Lünschena.

– Ma pan rację. Jego. Jeszcze świetnie jeździ.

Pan Lexow kiwnął głową w stronę roweru i zamknął oczy.

Rozdział x

Pojechałam z powrotem do domu. Musiałam podjąć decyzję, co ma się stać z moim dziedzictwem. Może powinnam była lepiej się przysłuchiwać panu Lexowowi, zamiast bujać w obłokach w jego ogrodzie, ale kto powiedział, że jego historia była bardziej prawdziwa niż moje sny na jawie? Ciotka Inga w końcu zawsze była tajemniczą kobietą. Legendy do niej pasują.

Jak prawdziwe były historie, które się komuś opowiadało, i jak prawdziwe te, które składałam sobie ze wspomnień, przypuszczeń, fantazji i tego, co podsłuchałam? Czasem wymyślone historie stawały się prawdziwe, a niektóre historie wymyślały prawdę.

Prawda była blisko spokrewniona z zapominaniem. To wiedziałam, ponieważ słowniki, encyklopedie, katalogi i inne kompendia wiedzy wszak jeszcze czytałam. W greckim słowie prawda, *aletheia*, płynął ukryty podziemny prąd – *lethe*, Leta. Kto napił się wody z tej rzeki, wyzbywał się wspomnień, tak jak wcześniej swojej śmiertelnej powłoki, i tak przygotowywał się do życia w królestwie cieni. I tak prawda miała być tym, co niezapomniane. Ale czy miało sens szukanie prawdy akurat tam, gdzie nie było zapomnienia? Czyż prawda nie wolała się ukrywać w szparach i lukach pamięci? Ze słowami też dalej nie zaszłam.

*

Bertha znała nazwy wszystkich roślin. Kiedy myślałam o swojej babce, widziałam ją w ogrodzie – wysoka postać na sztywnych nogach i z szerokimi biodrami. Jej wąskie stopy tkwiły najczęściej w zadziwiająco eleganckich butach. Nie dlatego, że była próżna, tylko dlatego, że wracając ze wsi, z miasta, od sąsiadki, nie szła do domu, tylko zawsze prosto do ogrodu. Nosiła fartuchy, które trzeba było zawiązywać z tyłu, rzadko takie, które z przodu zapinało się na guziki. Miała szerokie usta o wąskich, trochę wygiętych wargach. Jej długi, spiczasty nos był trochę zaczerwieniony, a lekko wyłupiaste oczy często wilgotne od łez. Oczy miała niebieskie. Niebieskie jak niezapominajki.

Chodziła po grządkach trochę pochylona, ze spojrzeniem skierowanym na rośliny, czasem się schylała, żeby wyrwać chwast, ale najczęściej nosiła ze sobą motyczkę, trzymając ją jak jakiś pastorał. Na końcu trzonka był rodzaj strzemiączka z żelaza. Wbijała je w ziemię i mocno potrząsała kijem obydwiema rękami. Wyglądało to, jak gdyby to nie ona kijem, tylko kij nią trząsł. Jak gdyby niechcący włączyła się w obwód prądu. Ale drgały tylko metalicznie niebieskie ważki w dygocącym powietrzu.

Pośrodku ogrodu było najgoręcej, nic nie rzucało cienia. Bertha zdawała się tego nie zauważać. Tylko czasem zatrzymywała się i nieświadomym, pełnym gracji ruchem dłoni zagarniała mokre włosy z karku i wsuwała je z powrotem w kok.

Im krótsza stawała się jej pamięć, tym krócej miała obcięte włosy. Ale dłonie Berthy aż do śmierci zachowały ruchy długowłosej kobiety.

W którymś momencie moja babka zaczęła swoje nocne wędrówki po ogrodzie. Wydawało się, jakby mylił się jej czas. Godzinę z zegara potrafiła odczytać jeszcze długo, ale czas nic jej już nie mówił. Latem zakładała trzy podkoszulki, jeden na drugi, i wełniane skarpetki, a potem była wściekła, że tak bardzo się poci. Wtedy skarpetki wkładała jeszcze na stopy. Mniej więcej w tym samym czasie straciła poczucie dnia i nocy. Wstawała nocą i włóczyła się. Również wcześniej, gdy Hinnerk jeszcze żył, chodziła nocą po domu, ale wtedy robiła to, bo nie mogła spać. Później jednak wędrowała na dwór, bo nie przyszło jej do głowy, że powinna spać. Najczęściej, ale nie zawsze, to Harriet zauważała, że Bertha wyszła. Ale gdy tylko to odkryła, z jękiem wstawała, narzucała na siebie szlafrok, wskakiwała w drewniaki, które stały przygotowane obok łóżka, i wychodziła za babką. Podczas tych nocy myślała, że już dłużej nie da rady. Miała pracę. Miała do wychowania dziecko. Po otwartych drzwiach rozpoznawała, którą drogą wyszła Bertha; zazwyczaj tylnym wyjściem, przez drzwi szopy na podjazd i do ogrodu. Czasem znajdowała matkę podlewającą grządki – zazwyczaj starym blaszanym kubkiem, w którym kiedyś przechowywała nasiona uschniętych nagietków. Czasem Bertha klęczała między grządkami i wyrywała chwasty, ale najbardziej lubiła zrywać kwiaty, przy czym nie zrywała łodygi, tylko sam kwiat. Z dużych baldachów odrywała płatki i trzymała w dłoni tak długo, jak się dało. Gdy Harriet podchodziła do matki, ta wyciągała rękę z rozgniecionymi płatkami i pytała, gdzie mogłaby to położyć. W ciągu czterech zimnych wczesnowiosennych nocy Bercie udało się oberwać kwiaty z całej rabatki niebiesko-białych bratków. Wnętrze jej dużych dłoni jeszcze tygodniami było zabarwione na fioletowo. Jako młoda dziewczyna ze swoją siostrą Anną odcinała zwiędłe kwiaty róż, żeby nie zawiązały owoców i zakwitły jeszcze raz. Bertha nie wiedziała już, ile ma lat. Miała tyle lat, na ile się czuła, i to mogło być na przykład osiem, kiedy nazywała Harriet Anną, albo trzydzieści, kiedy mówiła o swoim zmarłym mężu i pytała nas, czy już wrócił z biura. Kto zapomina czas, przestaje się starzeć. Zapominanie uderza w czas, wroga pamięci. Bo w końcu czas leczy wszystkie rany, sprzymierzając się z zapominaniem.

Stałam przy ogrodowym płotku, dotykając czoła. Musiałam myśleć o innych ranach. Przez całe lata wzbraniałam się przed robieniem tego. Te rany dostałam w spadku wraz z domem. I musiałam się im przynajmniej raz przyjrzeć, zanim znów mogłam przykleić na nie plaster czasu.

Długi pas plastra opatrunkowego krępował ręce za plecami, gdy bawiłyśmy się w grę, którą wymyśliła Rosmarie i którą nazywałyśmy „żryj albo giń". Grało się w nią w ogrodzie, konkretnie w tylnej jego części niewidocznej z domu, między krzakami białych porzeczek i gęstwiną jeżyn na końcu parceli. Była tam też sterta kompostu, właściwie to dwie, jedna pełna ziemi, druga z łupinami, pożółkłymi liśćmi kapusty i brązową, skoszoną trawą. Owłosione liście i mięsiste łodyżki dyń, ogórków i cukinii wiły się nad ziemią. Bertha miała w ogrodzie cukinie, bo lubiła sprawdzać nowe rośliny; była zachwycona prędkością, z jaką rosły właśnie te. Nie było dla niej jednak całkiem jasne, co ma począć z tymi olbrzymimi warzywami. Podczas gotowania natychmiast się rozpadały, a surowe w ogóle nie smakowały. Rosły więc i rosły, i rosły, dopóki latem tylna część ogrodu nie wyglądała jak opuszczone pole bitwy z dawnych czasów, na którym walczyły ze sobą gigantyczne drzewa, a potem porzuciły swoje tłuste zielone maczugi.

Tu rozrastała się mięta i melisa, a gdy gładziłyśmy je bosymi stopami, roztaczały świeży zapach, jak gdyby próbowały zatuszować zgniły odór tego kawałka ogrodu. Rósł tu rumianek, ale też pokrzywy, podagrycznik, osty i jaskółcze ziele, które, gdy na nim usiadłyśmy, plamiło nasze sukienki gęstym żółtym sokiem.

Jedna z nas trzech była skrępowana i miała zawiązane oczy. Najczęściej używałyśmy białego jedwabnego szalika Hinnerka, który na jednym końcu miał wypaloną dziurę i dlatego został skazany na banicję do dużej komody. Szło zawsze po kolei. Najczęściej zaczynałam ja, bo byłam najmłodsza. Klęczałam więc ślepa na ziemi z dłońmi luźno oklejonymi plastrem. Nic nie widziałam, ale ostry zapach podagrycznika, na którym klęczałam, mieszał się z wilgotnymi i ciepłymi wyziewami sterty kompostu. We wczesnych godzinach popołudniowych w ogrodzie było cicho. Brzęczały tylko muchy. Nie te czarne ospałki z kuchni, tylko niebieskie i zielone, które zawsze siedziały na gałkach ocznych krów i piły bez końca. Słyszałam, jak Rosmarie i Mira szeptały, oddalając się dobry kawałek ode mnie. Potem szelest ich długich sukienek zbliżał się. Stawały przede mną i jedna z nich mówiła: „Żryj albo giń!". Wtedy musiałam otworzyć usta, i ta, która to powiedziała, kładła mi coś na języku. Coś, co właśnie znalazła w ogrodzie. Chwytałam to błyskawicznie – jeszcze zanim mogłam poczuć smak – zębami, w ten sposób mogłam najpierw stwierdzić, jak to było duże, czy twarde, czy też miękkie, zapiaszczone czy czyste, i zazwyczaj mogłam też wyczuć, co to było: owoc, rzodkiewka, natka pietruszki. Dopiero potem kładłam to na język, rozgryzałam i połykałam. Gdy tylko pokazałam, że nic nie mam w ustach, zrywały mi plaster z nadgarstków. Zdejmowałam szalik z oczu i śmiałyśmy się. Potem przychodziła kolej na następną, która pozwalała się skrępować i zawiązać sobie oczy.

To zadziwiające, jak bardzo niepewnym czyniło człowieka to, że nie wiedział, co je, albo że oczekiwał czego innego, niż dostawał. Na przykład porzeczki łatwo było rozpoznać. Ale kiedyś sądziłam, że zębami wyczułam porzeczkę, żeby potem ze zgrozą i trzęsąc się z obrzydzenia, rozgryźć świeży groszek. Lubiłam groszek i lubiłam porzeczki, ale dla mojego mózgu ten groszek był porzeczką, i w roli porzeczki wydał się obrzydlistwem. Zemdliło mnie, ale przełknęłam. Bo kto wypluł, musiał przez to przejść jeszcze raz. I ten drugi raz był karą. Jeśli wtedy ktoś znowu wypluł, zostawał wykluczony z gry i z szyderczym śmiechem wyrzucony z ogrodu. Nie wolno mu było bawić się z innymi przez resztę dnia, a zwykle i następnego. Rosmarie prawie nigdy nie wypluwała, Mira i ja mniej więcej tak samo często. Mira chyba nawet trochę częściej, ale później podejrzewałam, że te dwie chyba mnie trochę oszczędzały. Prawdopodobnie obawiały się, że mogłabym je zakablować matce albo ciotce Harriet.

Zabawa zaczynała się niewinnie i rozwijała się z kolejki na kolejkę. Były takie popołudnia, kiedy w końcu jadłyśmy dżdżownice, mrówcze jaja i zgniłe cebule. Kiedyś byłam przekonana, że mały, owłosiony owoc agrestu między zębami musi być pająkiem, ponieważ był już karą za kawałek śliskiego pora, który wyśliznął mi się z ust. Gdy agrest pękł i na język popłynął sok, plułam tak, że aż tryskało dookoła. Zostałam, oczywiście, wykluczona.

Innym razem Rosmarie rozgryzła piwniczną stonogę, nie wykrzywiając twarzy. Gdy ją połknęła i znów miała swobodne ręce, powoli zdjęła opaskę z oczu. Wstrzymałyśmy dech. Patrzyła na Mirę i na mnie tym migoczącym wzrokiem i zapytała zamyślona:

– Ile właściwie kalorii ma taka stonoga?

Potem odchyliła głowę do tyłu i roześmiała się. Zapewniałyśmy ją, że gra się skończyła i że wygrała, bo obawiałyśmy się zemsty.

Grałyśmy także w dniu śmierci Rosmarie. Padało bez przerwy przez dwa dni, ale po południu słońce przebiło się przez chmury. Jak oswobodzone wybiegłyśmy z Rosmarie na zewnątrz. Wtedy bardzo powoli podjazdem w dół pod dom przyszła Mira, nie widziałyśmy jej przez te ostatnie dwa dni. Oparła się plecami o lipę. Ziewnęła i odwróciła twarz do słońca. Powiedziała z zamkniętymi oczami:

– Gramy w „żryj albo giń".

Właściwie to Rosmarie ustalała, w co się bawimy, ale teraz tylko wzruszyła ramionami i grzbietami dłoni odgarnęła do tyłu swoje długie rude włosy.

– Wolałabym pojechać nad śluzę, ale właściwie to wszystko mi jedno. Dlaczego nie?

Ja też wolałabym pojechać nad śluzę. Tak długo siedziałyśmy w domu, że podobałaby mi się jazda na wyścigi przez łąki. Ale jeszcze bardziej podobało mi się, że to nie Rosmarie tym razem decydowała, i powiedziałam:

– Tak, gramy, w co chce Mira.

Rosmarie jeszcze raz wzruszyła ramionami, odwróciła się i poszła do ogrodu. Miała na sobie złotą sukienkę, połyskującą w słońcu, gdy się ruszała. Ja szłam za nią. Mira podążała za nami w pewnej odległości. Ogród parował. Na liściach ogórków i dyń leżały wielkie krople deszczówki, przez które jak przez soczewki można było oglądać żyłki i włoski roślin w powiększeniu. Za krzakami porzeczek pachniało ziemią i kocim łajnem.

– Macie szalik i plaster?

Rosmarie odwróciła się i zlustrowała Mirę i mnie swoimi bladymi oczami. Mira wytrzymała jej spojrzenie; w jej wzroku było coś wyzywającego, czego nie rozumiałam. Rzęsy miała jeszcze mocniej wytuszowane niż zwykle, a kreskę na powiece jeszcze szerszą. Ciemny tusz grubo i ciężko kleił się do podkręconych włosków. Gdy poruszała oczami, wyglądało to tak, jakby przez twarz biegły dwie czarne gąsienice.

– Nie, nie mamy.

Tego dnia skóra Miry była jak popiół i głos też. Tylko jej oczy wydawały się żyć, czarne gąsienice wiły się cicho.

– Zaraz przyniosę – powiedziałam i pobiegłam do domu po schodach. Wzięłam plaster, wiele go na rolce nie było, ale powinno wystarczyć. Otworzyłam dużą szafę, chwyciłam szal Hinnerka, wiszący na drążku na krawaty po wewnętrznej stronie drzwi, podciągnęłam swoje jasnoniebieskie tiulowe spódnice i pognałam z powrotem po schodach do ogrodu.

Mira i Rosmarie nie ruszyły się z miejsca. Rosmarie mówiła coś do Miry. Ta patrzyła w ziemię. Ale kiedy zobaczyły, że nadchodzę, jednocześnie odwróciły się i poszły dalej. Dogoniłam je dopiero przy krzakach porzeczek.

– Macie.

– Chcesz zacząć, Iris? – zapytała Rosmarie.

– Nie, tym razem ja zacznę – powiedziała Mira.

Wzruszyłam ramionami i podałam jej szalik. Zawiązała go sobie wokół głowy i skrzyżowała ręce na plecach. Przykleiłam brązowy plaster opatrunkowy wokół nadgarstków i gdy nie mogłam go od razu oderwać, podeszła Rosmarie, szybko się schyliła i go przegryzła. Mira nic nie mówiła.

Uklękłyśmy w błocie za krzakami.

– Nieważne – powiedziała Rosmarie. – Upierzemy sukienki, zanim te Norny cokolwiek zauważą.

„Te Norny" to były oczywiście Christa, Inga i Harriet. Już nam się zdarzało potajemnie prać sukienki. Rosmarie i ja wstałyśmy, by poszukać czegoś do jedzenia. Zerwałam liść szczawiu i pokazałam Rosmarie. Skinęła głową i podniosła wysoko inny liść: zieloną maggi. W każdym razie tak to nazywała nasza babka, pachniało zupą, a kiedy się to roztarło w dłoniach, przez cały dzień nie można się było uwolnić od zapachu. Uważałam, że zielona maggi na początek to właściwie bezlitosny pomysł, ale kiwnęłam głową i szczaw włożyłam do własnych ust.

Gdy wróciłyśmy, Mira siedziała w kucki na ziemi. Wyglądała jak skamieniała.

Powiedziałam:

– Dobra, Mira, sama tego chciałaś. Żryj albo giń. Otwórz usta. Dasz jej to, Rosmarie?

Rosmarie jeszcze raz mocno zgniotła liść. Mira musiała to poczuć, zanim jeszcze liść trafił w pobliże jej twarzy. Otworzyła usta, głośno jęknęła i zwymiotowała. Od gwałtowności tego wybuchu jej tułów szarpnięciem rzuciło naprzód.

– O Boże, Mira!

Byłam tak przerażona, że nie pomyślałam o tym, by uwolnić ją z szalika i plastra.

– Już dobrze. Teraz mi lepiej. Rosmarie wie, że nie znoszę lubczyku.

Nie wiedziałam, że zielona maggi to lubczyk, i myślałam, że Rosmarie też nie wie. Rosmarie milczała. Uklękła za Mirą i objęła ją obydwoma ramionami. Jej broda leżała na ramieniu koleżanki. Zamknęła oczy. Mira wciąż jeszcze miała szalik na oczach. Czuć było wymiocinami.

– No dobrze, chodźcie, pojedziemy nad śluzę.

Byłam pewna, że te dwie przyjmą moją propozycję, ale Mira powoli pokręciła głową.

– Teraz znów moja kolej – powiedziała. – To się nie liczy, przecież nie miałam jeszcze nic na języku.

Wtedy Rosmarie pocałowała Mirę w usta. Było mi nieprzyjemnie z powodu tego pocałunku. Jeszcze nigdy nie widziałam, żeby się całowały, i myślałam o tym, że Mira właśnie zwymiotowała.

– Jesteście obłąkane! – krzyknęłam.

Dziwnie się czułam w tym ogrodzie, a przy tym nie wiedziałam, czy to z powodu gry czy pocałunku.

Rosmarie poprowadziła Mirę kilka metrów dalej, po czym pomogła jej usiąść, a następnie udała się na poszukiwanie, ale niezbyt daleko. Szybko się schyliła, a gdy się wyprostowała, zobaczyłam, że zerwała cukinię, nie wielką maczugę, tylko jedną z tych mniejszych. Uważałam, że kawałek cukinii jest w porządku, zwłaszcza jeśli mały i świeży. Ale Rosmarie nie odłamała kawałka, tylko mamrotała:

– Żryj albo giń, moja słodka.

Mira uśmiechnęła się i otworzyła usta. Rosmarie przykucnęła tuż przed nią. Oberwała kwiat z mokrego od deszczu warzywa i koniec włożyła Mirze do ust. A potem wysysała:

– To jest fiut twojego kochanka.

Ciało Miry drgnęło. Potem, już całkiem spokojna, odgryzła mocnym ukąszeniem czubek cukinii i na ślepo wypluła Rosmarie w twarz. Trafił Rosmarie w górną wargę. Potem Mira powiedziała:

– Przegrałaś, Rosmarie.

Szarpnęła plaster, ten się rozdarł. Wstała, zdjęła sobie z głowy biały szal i rzuciła go na stertę kompostu. A potem sobie poszła.

Rosmarie i ja patrzyłyśmy za nią.

– Powiedz, co to miało znaczyć – poprosiłam.

Rosmarie odwróciła się do mnie z wykrzywioną twarzą. Krzyknęła:

– Zostaw mnie wreszcie w spokoju, ty głupia, głupia kozo!

– Chętnie – odpowiedziałam. – Tak czy owak nie gram z ludźmi, którzy nie umieją przegrywać.

Powiedziałam to tylko dlatego, że zauważyłam, jak słowa Miry dotknęły moją kuzynkę. Nie rozumiałam ich jednak. Rosmarie dwoma długimi krokami podeszła do mnie i wymierzyła mi policzek.

– Nienawidzę cię.

– Robaki nie potrafią nienawidzić.

Pobiegłam do domu.

Rosmarie nie jadła z nami kolacji. Dopiero gdy już kładłam się spać, przyszła do naszego pokoju i udawała, że nic się nie stało. Wciąż jeszcze byłam na nią zła, ale przysiadłam się do niej na parapet, a ona opowiedziała mi o Mirze. A potem zapadła noc.

Gdy bywałam tu latem, Rosmarie i ja spałyśmy zawsze w dawnym małżeńskim łożu. Było i śmiesznie, i strasznie, opowiadałyśmy sobie sny, plotkowałyśmy i chichotały. Rosmarie mówiła o sprawach ze szkoły, o Mirze i o chłopakach, w których była zakochana. Często opowiadała o swoim ojcu, rudowłosym osiłku z północy, polarniku, piracie na Oceanie Lodowatym, być może już nieżyjącym, na zawsze zamarzniętym, w którego zastygłych oczach odbijało się srebrzystoszare niebo, i inne historie tego rodzaju. Nigdy nie rozmawiała z Harriet o swoim ojcu, a Harriet też nigdy nie wspominała o nim.

Rosmarie i ja, leżąc w łóżku, wymyślałyśmy sobie nowe języki: tajemny język, nocny język, przez jakiś czas mówiłyśmy wszystko wstecz. Szło to z początku bardzo opornie, ale po kilku dniach nieźle się wprawiłyśmy, w każdym razie mogłyśmy rzucić kilka krótkich zdań. Imiona wszystkich ludzi, których znałyśmy, odwracałyśmy. Ja byłam Siri, ona była Eiramsor, i była też oczywiście Arim. W którymś momencie Rosmarie uznała, że przeciwieństwo jakiejś rzeczy musi być samą rzeczą, tylko wspak. Nazywałyśmy więc „einagyzr" jedzenie , a przede wszystkim sposób jedzenia, który uprawiałam sama w domu z moimi książkami. I rzeczywiście było to dokładne przeciwieństwo jedzenia – tylko wspak.

Gdy Rosmarie, Mira i ja kiedyś wcześniej siedziałyśmy w kucki na szerokich parapetach pokoju i patrzyłyśmy na deszcz, Rosmarie powiedziała:

– Czy wiecie, że mam w sobie Mirę?

Mira popatrzyła na nią spod ciężkich powiek. Leniwie otworzyła swoje małe ciemnoczerwone usta.

– Taaak? – spytała.

– Tak. Słowo „Mira" jest częścią słowa Rosmarie. A ciebie, Iris, o mały włos też bym miała, a raczej o mały włos umknęłaś.

Mira i ja milczałyśmy i sprawdzałyśmy w głowie te słowa. ROSEMARIE. Po chwili powiedziałam:

– Och, w tobie jest całe mnóstwo rzeczy.

– Wiem. – Szczęśliwa Rosmarie zachichotała.

– IRRE, obłąkana – powiedziała Mira.

A po chwili:

– IRRE i MIES, obłąkana i podła.

– EIS, lód – dodałam.

A po chwili:

– Jestem głodna.

Roześmiałyśmy się.

Imię Rosmarie naprawdę zawierało bardzo wiele. Nie tylko słowa „podły" i „obłąkany", ale też *Rose* – „róża" i *Eis* – „lód", „Morse" – ten który stworzył alfabet, i *Reim* – „rym", *Möse* – „cipa" i „Mars".

W moim imieniu nie było nic. Zupełnie nic. Byłam tylko sobą, Iris, jak kwiat irysa i tęczówka oka po łacinie.

Wystarczy. Ranom odziedziczonym wraz z tym domem przypatrywałam się jak na początek i tak dość długo. Z dworu weszłam do sieni, potem przez dawną pralnię udałam się do pokoju kominkowego. Szklane przesuwne drzwi piszczały, gdy odciągałam je z całej siły w bok. Od kamiennych płyt na podłodze w pokoju było chłodno. Mimo dużych szklanych drzwi pomieszczenie było ciemne, ponieważ płacząca wierzba rosła zbyt blisko tarasu i całe światło przesączało się przez ten zielony filtr. Wyniosłam na taras jeden z plecionych foteli. Dokładnie nade mną był dach zimowego ogrodu. Ojciec Berthy sam go kiedyś zaprojektował. Chłopi szyderczo nazwali tę szklaną konstrukcję palmiarnią. Ponieważ ogród zimowy Deelwaterów był bardzo wysoki, nie była to tylko mała dobudówka z wypukłymi szybkami. Tymczasem jednak ramiona płaczącej wierzby zakryły tę część domu przed ciekawskimi spojrzeniami przechodniów.

Zanim posunęłam się dalej w rozmyślaniach nad zimowym ogrodem, chciałam sobie lepiej przypomnieć Petera Klaasena. Tę historię opowiedziała mi matka, tego i owego dowiedziałam się sama, a rozmowy ciotki Harriet z ciotką Ingą regularnie podsłuchiwała Rosmarie i zdawała mi potem relację. Chociaż Peter Klaasen był wtedy całkiem młody, miał ze dwadzieścia cztery lata, był siwy. Pracował na stacji benzynowej przy wyjeździe ze wsi. Inga wtedy znów często bywała w domu. Po śmierci Hinnerka rok wcześniej pamięć Berthy rozpadała się coraz szybciej. Wprawdzie Harriet i Rosmarie mieszkały z nią, ale Inga nie mogła na nie obie przerzucić całej odpowiedzialności za matkę. Christa mieszkała daleko. Przyjeżdżała na ferie i wakacje wraz ze mną, ale przez większość roku nie było ferii, Inga próbowała więc przynajmniej w weekendy odciążyć siostrę. Co niedziela wsiadała wieczorem do swojego białego volkswagena garbusa i tankowała na stacji benzynowej BP, zanim ruszyła do Bremy. W każdy niedzielny wieczór jeszcze godzinami po swojej wizycie była głęboko pogrążona w myślach, uwikłana w lęk i żal, ale też czuła ulgę, że może wrócić do własnego życia. Miała też poczucie winy w stosunku do jednej siostry, która nie mogła tego zrobić, i czuła nienawiść do drugiej, która po prostu nadal żyła swoim życiem, tylko dlatego, że była zamężna. Inga miała wtedy czterdzieści lat i była niezamężna, bezdzietna i nie chciała dzieci mieć, ale uważała, że Christa urządziła się bardzo wygodnie. Jej mąż Dietrich był miłym mężczyzną i dobrze zarabiał. Miała jedno dziecko i uczyła wychowania fizycznego przez osiem godzin w tygodniu w szkole realnej w sąsiedniej miejscowości.

Nie dlatego, że musiała, tylko dlatego, że ktoś ją o to poprosił, a ona lubiła to robić. Inga oczywiście wiedziała, że Christa pomagałaby więcej, gdyby mieszkała bliżej Bootshaven, ale że tego nie robiła, Inga odczuwała to jako niesprawiedliwość. W niedzielne wieczory, gdy wszyscy ludzie są smutni, bo weekend się skończył, Inga siedziała w swoim małym, głośnym samochodzie i śpiewała.

Na stacjach benzynowych czuła się nieswojo. Wolała, gdy ktoś ją obsługiwał. I obsługiwał ją co niedziela ten sam mężczyzna o siwych włosach nad gładką młodzieńczą twarzą. Każdej niedzieli uprzejmie życzył jej miłego tygodnia. Ona dziękowała z roztargnionym uśmiechem na swoich pięknie wygiętych ustach. Po trzech miesiącach, gdy ten młody człowiek zaczął witać ją po nazwisku, tak naprawdę pierwszy raz na niego spojrzała.

– Przepraszam, zna pan moje nazwisko?

– Oczywiście. Przyjeżdża pani co niedziela i tankuje u mnie. Należy znać nazwiska stałych klientów.

– Tak, tak. Stałych klientów. Ale skąd pan wie, kim jestem?

Inga czuła zmieszanie, nie wiedziała, w jakim wieku jest ten mężczyzna. Wyglądał bardzo młodo, ale niepokoiły jego włosy. Nie wiedziała, czy powinna go teraz potraktować macierzyńsko-protekcjonalnie czy po prostu chłodno i z dystansem. Gdy do niej mrugnął i roześmiał się, złapała się na tym, że też się uśmiecha. Przecież ten człowiek chciał tylko być miły, a ona tu rżnie diwę. Gdy wyjeżdżała, widziała we wstecznym lusterku, że młody człowiek o siwych włosach wciąż patrzył za nią, gdy jakiś klient próbował z nim rozmawiać.

Następnej niedzieli ten sam mężczyzna znów tam był i przywitał ją uprzejmie, ale nie zwracając się do niej po nazwisku.

Inga powiedziała:

– No proszę, jestem przecież stałą klientką.

Otwarcie się uśmiechnął.

– Tak, pani Lünschen, to pani, ale nie chcę być natarczywy.

– Nie jest pan natarczywy. Tylko ja jestem kapryśną starą kozą.

Mężczyzna milczał. Patrzył na nią troszeczkę za długo jak na gust Ingi.

– Nie. Nie jest pani. I pani to wie.

Inga się roześmiała.

– Myślę, że to chyba był komplement. Bardzo dziękuję.

Flirtowałam z nim – myślała zaskoczona po drodze. – Flirtowałam z tym dziwnym pracownikiem stacji. Pokręciła głową, ale nie mogła powstrzymać uśmiechu.

W następne niedziele też z nim rozmawiała, zawsze krótko, ale jednak tak, że w drodze powrotnej łapała się na uśmiechu. O Bercie i o tym, jak to będzie dalej, myślała tylko do wyjazdu ze wsi. A w którymś momencie zaczęła myśleć o tankowaniu już podczas kolacji u Berthy, Harriet i Rosmarie. Dowiedziała się, że on, tak jak ona, bywał tu tylko w weekendy. Właściwie był konstruktorem maszyn, właśnie skończył studia i chwilowo pracował na stacji benzynowej, która należała do przyjaciela jego ojca. Nazwiska Ingi dowiedział się od właściciela stacji, u którego już ojciec Ingi tankował swojego starego czarnego mercedesa. Był miły, nieszczególnie elokwentny, ale bardzo pewny siebie. Wyglądał dobrze, był troszkę próżny, a przede wszystkim o wiele za młody, jeszcze młodszy, niż Inga początkowo myślała, i zabroniła sobie poznawać go bliżej. On ją najwyraźniej podziwiał, ale do tego nawykła. To nie był powód, żeby musiała się od razu interesować jakimś mężczyzną. Ale Peter Klaasen – tymczasem i ona poznała jego nazwisko – był uparty, nie będąc natrętnym.

Jednego z ostatnich ciepłych dni jesieni zapytał ją, czy lubi wędzone węgorze. Kiedy skinęła głową, powiedział, że musi zaraz pojechać do swojej wędzarni, bo przyjaciel podarował mu wiadro węgorzy, już zabitych i sprawionych.

Inga się roześmiała.

– Ciekawy prezent.

– Naprawiłem mu silnik zaburtowy. Założył trochę więcierzy w porcie. Nie zechce pani ze mną pojechać?

– Nie!

– Ach, niech pani pojedzie, jest tak pięknie na dworze.

– Wiem, tu się wychowałam.

– No dobrze, to niech pani zrobi to dla mnie.

– Dlaczego miałabym to zrobić?

– Hmm. Może dlatego, że nie potrafię sobie wyobrazić niczego piękniejszego?

Po chwili milczenia Inga powiedziała:

– Och, rozumiem. Bardzo miło. To chyba nie mam innego wyjścia.

Uśmiała się z radosnego wycia Petera i wsiadła do jego samochodu. Peter pojechał do szopy w pobliżu śluzy. Inga nie czuła niepokoju, znała dobrze tę okolicę, łąki należące do jej rodziny leżały ciut wyżej. Chociaż Peter Klaasen w stosunku do niej lubił udawać uwodziciela, rozkoszowała się jego radością i zapałem.

Stara różowa beczka stała pośrodku łąki. Peter poszedł do szopy i przyniósł z niej czarne wiadro, w którym wiły się ciemne grzbiety węgorzy. Martwe zwierzęta jeszcze się ruszały. Grzebał w kieszeniach kurtki. Przeszukiwał je coraz bardziej nerwowo. Kręcił głową, klął, a potem spojrzał na nogi Ingi. Gdy podniósł wzrok, jego uśmiech był jednocześnie szelmowski i nieśmiały.

– Pani Lünschen, potrzebujemy pani pończoch.

– Słucham?

– Poważnie. Zapomniałem swoich. Potrzebujemy nylonowych pończoch.

– Chce pan uwędzić moje pończochy czy moje nogi?

– Ani jedno, ani drugie. Potrzebujemy pończoch, bo inaczej nie będzie węgorzy. Dostanie pani ode mnie nowe, obiecuję.

Uśmiechał się z takim oczekiwaniem, że Inga westchnęła, poszła za samochód i ściągnęła cienkie rajstopy.

– Proszę. Ta historia musi się wkrótce stać zabawniejsza, w przeciwnym razie wracam piechotą na stację benzynową.

Peter Klaasen zapytał, czy pozwoli mu włożyć rękę w jedną nogawkę.

Inga zaniepokoiła się, ale kiwnęła głową.

Dłoń w cielistych rajstopach Ingi nie wyglądała, jakby należała jeszcze do ciała Petera. Jak bezokie, bezbarwne morskie zwierzę poruszała się w wiadrze z wodą. I już schwytała pierwszego węgorza. Inga pochyliła się nad wiadrem. Martwy węgorz drgał, ale Peter szybko przebił go hakiem. I ten hak zawiesił na żelaznych drążkach, które leżały w poprzek beczki. Wyciągnął rękę z rajstop i podał je Indze.

– Teraz pani kolej.

Naciągnęła sobie rajstopy na rękę, zanurzyła ją w wiadrze i chwyciła, ale węgorz się jej wyśliznął.

– Bardziej zdecydowanie – usłyszała.

Chwyciła bardziej zdecydowanie i udało jej się złapać rybę. Krzyknęła, kiedy wyciągała ją z wody. Czuła, jak się rusza. Peter Klaasen zręcznie ją od niej wziął, przebił hakiem szczękę i zawiesił obok poprzedniej ryby. Inga roześmiała się trochę bez tchu. Peter wieszał jedną rybę za drugą. Gdy wszystkie węgorze już wisiały, rozpalił na dnie beczki niewielki ogień; potrzebował tylko żaru, a nie tańczących płomieni. Położył na drążki z rybami okrągłą pokrywę. Potem wsiedli do auta, rozmawiali, śmiali się i pili kawę z termosu, po który Peter sięgnął na tylne siedzenie.

Mieli tylko jeden kubek, za co Peter Klaasen przepraszał. Inga powiedziała, że to nic, ona też miała tylko jedne rajstopy, na co oboje serdecznie się roześmieli, a Inga poczuła się młoda i rozbawiona, tak że na chwilę zapomniała o zmartwieniu z Berthą. Gdy Peter podał jej kubek z kawą, czubki ich palców się zetknęły. On, poczuwszy elektryczny impuls, drgnął, a gorąca kawa prysnęła na dłoń Ingi. Inga zacisnęła wargi i przecząco pokręciła głową, gdy Peter chciał zobaczyć oparzoną dłoń.

Później zabrała do Bremy dwa świeżo uwędzone węgorze.

Peter zaproponował, że zamontuje w samochodzie Ingi magnetofon kasetowy i przybył pewnego piątkowego wieczoru na Geestestraße z kuferkiem narzędzi pod pachą, bo chciał zacząć montaż zaraz, żeby Inga już w niedzielę mogła słuchać muzyki w drodze powrotnej. Były ferie wielkanocne, Mira i ja też tam byłyśmy, moja matka miała coś do załatwienia w mieście.

Inga była zakłopotana, gdy otworzyła mu drzwi, ale szybko przezwyciężyła swoje zakłopotanie, gdy zobaczyła, jak bardzo on jest zakłopotany. Przypomniała sobie, że jest co najmniej piętnaście lat starsza od tego chłopaka i dzięki temu szybko odzyskała rezon. Traktowała go z ciepłą wyniosłością, z którą jednak mieszało się wciąż coś na kształt nostalgicznej autoironii.

Poczęstowała go herbatą i ciastem. Harriet z nim rozmawiała, całkiem dobrze znała jego szefa, właściciela stacji benzynowej. Rosmarie również siedziała przy stole, przed nią stał wazon z jedną jedyną dalią, jasnożółtą z różowymi czubkami płatków. Rosmarie podniosła głowę i patrzyła przez kwiatek na Ingę i jej gościa. Uniosła cienkie miedziane brwi i przyglądała się młodemu mężczyźnie o siwych włosach. Już przy pierwszym słowie, które zamienili przy stole ciotka Inga i Peter Klaasen, wyprostowała się na krześle, nabrała czujności i cicho przyczaiła się jak zwierzę, które chwyciło trop. Mira obserwowała koleżankę spod półprzymkniętych powiek.

Również Harriet wyczuła zainteresowanie swojej córki i wpadła na pomysł.

– Panie Klaasen, od dawna szukamy korepetytora z matematyki dla Rosmarie. Nie zechciałby pan poświęcić temu zajęciu jednego czy dwóch popołudni w tygodniu?

Peter Klaasen spojrzał na Rosmarie, ona spojrzała na niego, ale nic nie powiedziała.

– Chciałabyś, Rosmarie? – zapytał spokojnie.

Rosmarie patrzyła to na niego, to na Ingę, która pod jej spojrzeniem zaczęła sobie poprawiać włosy. Potem popatrzyła na Mirę i uśmiechnęła się swoim uśmiechem drapieżnika, bo jej kły były odrobinę dłuższe niż siekacze.

– Dlaczego nie?

– Otóż właśnie! – ucieszyła się Harriet, która nie potrafiła pojąć, dlaczego Rosmarie jest taka uległa. – A zatem zgoda! Zapłacę panu dwadzieścia marek za godzinę.

Bertha, która była zajęta swoim ciastem, spojrzała znad talerza i powiedziała:

– Och, dwadzieścia marek. To dużo pieniędzy. Można za to... Nieprawdaż? Myślę, czy jeszcze się da? Powiedzże coś.

Peter najwyraźniej wiedział o chorobie Berthy, w każdym razie nie wyglądał na zdziwionego, tylko rzekł przyjaźnie:

– Tak, pani Lünschen. To dużo pieniędzy.

Ale gdy spojrzał na Ingę, jakby zastygł. Inga odwróciła wzrok.

– Dobrze, dobrze, dobrze! Och Ingo, on to zrobi! – Harriet była uszczęśliwiona. – Proszę poczekać, kochany panie Klaasen, muszę przynieść kalendarz. Będziemy się mogli umówić na konkretny dzień. Rosmarie, kiedy masz gimnastykę po południu? Już do pana wracam. Chwileczkę. Tak?

Głos Harriet docierał z kuchni, po której, trochę zdezorientowana, miotała się w poszukiwaniu kalendarza. Jej pośpiech brał się z pewnością też z zażenowania. W końcu nie co dnia spotyka się młodszego wielbiciela swojej starszej siostry, a jeszcze takiego, który jest przystojny i opanował matematykę. Słyszeliśmy, jak roztargniona Harriet mamrocze pod nosem, przewracając zawartość szuflady kuchennego stołu.

– W środę, mamo. – Rosmarie wywróciła oczami.

Harriet pojawiła się z powrotem i pomachała kieszonkowym kalendarzem. Opadła na krzesło.

– Zatem w środy masz gimnastykę, moje dziecko, żebyś pamiętała.

Rosmarie ciężko westchnęła i zrezygnowana kiwnęła głową.

– A jak w inne dni? – Harriet trzymała kalendarz wyciągnięty daleko przed sobą i mrużyła oczy. – Ach, tak tu ciemno. Nic nie można przeczytać.

Peter Klaasen spojrzał na stół, podszedł o krok, chwycił wazon z dalią i szybko przysunął do kalendarza Harriet. Potem cofnął się. Duży żółto-różowy kwiat chybotał się jak staromodna lampa nad kalendarzem.

Harriet wpatrywała się zdumiona w kwiat, potem dźwięcznie się roześmiała. Jej oczy błyszczały, gdy przenosiła wzrok z Petera Klaasena na siostrę i z powrotem na Petera Klaasena. Bertha też się śmiała, jej oczy wypełniły się łzami.

Serce Ingi się skurczyło. Ledwie mogła na Petera spojrzeć, tak bardzo go kochała w tym momencie. To ją przerażało.

Nawet Mira się uśmiechała pod swoją czarną grzywką.

Oczy Rosmarie wydawały się jeszcze jaśniejsze.

Ja też musiałam się roześmiać. Potem przyglądałam się twarzom pozostałych kobiet. Przez ten jeden moment wszystkie straciłyśmy dla niego głowy.

– A co z piątkiem? – zapytał uprzejmie.

Harriet ciepło się do niego uśmiechnęła, zamknęła kalendarz i oznajmiła:

– A zatem w piątki.

– Wspaniale – powiedziała Inga i wstała.

Peter też się podniósł. Rosmarie siedziała i w napięciu przyglądała się obojgu. Mira spojrzała najpierw na Ingę i Petera, a potem na Rosmarie, a później ze zmarszczonym czołem dolała sobie kawy.

Bertha zdjęła sobie but i mi go pokazywała. Szeptała:

– To nie mój.

– Babciu, to twój but, szybko załóż go z powrotem, bo będzie ci zimno.

– Jest całkiem ładny.

– Tak, Harriet kupiła ci te buty.

– Ale on nie jest mój. To twój?

– Nie, babciu. To twój but, załóż go z powrotem.

– Harriet, popatrz. Tutaj. Gdzie mam go dać? – Bezradnie podniosła but w górę.

– Tak, mamo. Poczekaj, pomogę ci. – Harriet wpełzła pod stół i założyła Bercie but. – Jak dobrze, Rosmarie. Możecie zacząć już w przyszłym tygodniu! – zawołała.

Słowa Harriet docierały z dołu trochę zbyt głośno.

Mira odstawiła filiżankę z kawą i powiedziała:

– Przyłączę się.

Rosmarie patrzyła na nią, jej oczy zaświeciły jeszcze jaśniej.

– Dlaczego nie? – spytała Harriet i wyprostowała się. – Będziemy mogły podzielić zapłatę na pół. Ty też chcesz się przyłączyć, Iris?

– Nie, ja mam teraz ferie. I jestem o dwie klasy niżej.

Poza tym ojciec uczy mnie matematyki. I to więcej, niżbym chciała.

Wywróciłam oczami i zrobiłam taką minę, jakby mnie mdliło.

– Dlaczego nie ma tu moich...? – W głosie Berthy słychać było wzburzenie. Znów miała w ręku but, tym razem drugi. – Dlaczego... Och proszę, proszę, Harriet. Dlaczego to już tak nie jest? Mam na myśli. Czy to jeszcze powróci? Myślę, że nie, prawda?

Rosmarie i Mira w piątkowe popołudnia brały zatem korepetycje u Petera Klaasena. Potem on jechał swoim citroenem na stację benzynową.

Przez jakiś czas wszystko szło dobrze. Zajęcia sprawiały Peterowi przyjemność. Rosmarie i Mira wcale nie były tak kapryśne, jak się być może obawiał. Kiedy Rosmarie już przy następnej pracy z matematyki poprawiła się o cały stopień, ucieszyło go to niemalże bardziej niż Harriet. A przy tym, gdy skończył już lekcję, mógł zamienić kilka słów z Ingą, która akurat wtedy przyjeżdżała z Bremy. Te słowa były dla niego bardzo ważne. Zakochał się bowiem w Indze. Ale nie tylko po prostu się zakochał, chciał się z nią ożenić, mieć z nią dzieci i na zawsze zostać jej mężem. O tym wszystkim napisał do niej list.

Wiedziałyśmy o tym od Rosmarie, która potajemnie ten list przeczytała. Nie zdradziła nam, jak do niego dotarła. Inga wzbraniała się przed zastanawianiem się nad swoimi uczuciami. Uważała, że jest za stara albo on za młody, zależnie od tego, jak się akurat czuła. Rosmarie zaczęła kręcić się w weekendy przy stacji benzynowej. Peter chętnie z nią rozmawiał. Kiedy bowiem rozmawiał z siostrzenicą Ingi, czuł się trochę bliżej obiektu swojej miłości. Rosmarie była coraz lepsza z matematyki. Kiedy Peter jej coś objaśniał, patrzyła na niego, nawet nie mrugając, wydawało mu się więc, że ona go w ogóle nie słucha. A jednak zaskakiwała go właściwymi odpowiedziami. Z Mirą było zupełnie odwrotnie – sprawiała wrażenie bardzo skupionej, patrzyła w zeszyt albo marszczyła czoło, ale zupełnie nie docierało do niej, o czym mowa. Jej oceny z matematyki pogorszyły się, co nie zdarzało się przed korepetycjami. Mimo to postanowiła z nich nadal korzystać.

Rosmarie chciała Petera. Chciała go mieć. Powiedziała mu, że jest w nim zakochana. Powiedziała mu to prosto w twarz, podczas korepetycji i przy Mirze. Patrzył na nią skonsternowany. Rosmarie była piękną dziewczyną, wysoką i szczupłą, z długimi rudymi włosami. Jej oczy były szeroko otwarte. Miały kolor lodowca i ledwie odróżniały się od niebieskawych białek gałek ocznych, tylko źrenice wyraźnie się odcinały. Kiedy się na nią złościłam, uważałam, że przypomina gada. Gdy dobrze się rozumiałyśmy, przypominała mi srebrzystą wróżkę. Tak czy inaczej Mira i ja uważałyśmy, że jej uroda zapiera dech.

Peter był zmieszany. Lekcja skończyła się wcześniej niż zwykle. Inga jeszcze nie przyjechała. Ale ponieważ akurat dziś Peter nie chciał przegapić jej przyjazdu, postanowił, że jeszcze chwilę poczeka na podwórku. Nie poszedł do swego samochodu, tylko za dom, do sadu. To było w maju, kwiaty opadły, a jabłek jeszcze nie było widać. Serce Petera mocno biło, gdy zobaczył z dala Rosmarie, która się do niego zbliżała.

Nie miałam ferii i dlatego wiedziałam tylko, że Inga potem zadzwoniła do nas z płaczem i chciała rozmawiać z moją matką. Z podwórka widziała – mówiła ze szlochem w słuchawkę – jak Rosmarie i Peter się całują. Potem odwróciła się na pięcie i pojechała z powrotem do Bremy. Nie orientowałyśmy się, czy Rosmarie wiedziała, że Inga przyjechała i obserwowała ją, ale uznałyśmy, że doskonale to wiedziała. Musiała usłyszeć samochód wjeżdżający na podjazd i zatrzymujący się pod dwiema lipami na podwórku. Volkswagen garbus nie miał cichego silnika. Nie wiedziałam też, czy Rosmarie w tym momencie zdawała sobie sprawę, że również Mira jest świadkiem tego pocałunku. W którymś momencie musiała się jednak dowiedzieć, ponieważ ja wiedziałam to od swojej matki, a ta od swojej siostry Harriet, która z kolei widziała Mirę obserwującą ów pocałunek. Mira przyszła do Harriet do kuchni po lemoniadę, wzięła dwie szklanki i przez sień udała się na tyły domu. Gdy otworzyła drzwi wiodące do sadu i zamierzała wyjść na dwór, Rosmarie przeszła kilka kroków od niej, ze wzrokiem utkwionym w Petera. Musiała widzieć koleżankę kątem oka, ale nie zwróciła na nią uwagi. Czoło Miry błyszczało bielą pod czarną grzywką, gdy Harriet obserwowała ją z kuchni i dziwiła się jej bladości. Rosmarie przeszła koło niej jak lunatyczka – szeptała Mira bardziej do siebie niż do Harriet, gdy wróciła do kuchni. A ona, Mira, nie miała odwagi jej zawołać. Kiedy już chciała to zrobić, Rosmarie kurczowo przywarła do tego siwowłosego mężczyzny ze stacji. Mira miała krople potu nad górną wargą, jej oczy wydawały się większe niż zwykle. Tak opowiadała Harriet swojej siostrze Chriście, która po telefonie Ingi rozmawiała z Harriet. Reszty dowiadywałam się stopniowo.

– Jeśli Rosmarie wiedziała, że Inga patrzy – bezradnie pytała mnie Christa, gdy odłożyła słuchawkę – dlaczego na miłość boską go pocałowała?

Gdy w odpowiedzi milcząco patrzyłam na matkę, dwie podłużne zmarszczki nad nasadą jej nosa pogłębiły się. Popatrzyła na mnie zimno i powiedziała:

– Ach, tak myślisz? No, sądzę, że znów ponosi cię fantazja.

Potem zagryzła wargę i odwróciła się.

Inga powiedziała też przez telefon, że kocha Petera, że różnica wieku jest jej obojętna, ale że niestety stało się to dla niej jasne dopiero w tym momencie, gdy on całował jej małoletnią siostrzenicę, i zadawała sobie pytanie, czy kiedykolwiek będzie jeszcze mogła spojrzeć mu w oczy. Harriet była zmartwiona, ale bezradna, w każdym razie z nią Inga nie mogła rozmawiać. Christa uspokoiła siostrę i doradziła jej, by porozmawiała z Peterem. Inga powiedziała, że potrzebuje czasu, by wszystko przemyśleć. Zostanie więc przez tydzień w Bremie, a potem skontaktuje się z Peterem. Moja matka uważała, że to brzmi nieźle, i na tym rozmowa telefoniczna się skończyła.

Jednak w tym samym tygodniu jeszcze wiele się zdarzyło. Po jego upływie między ciotką Ingą a Peterem Klaasenem wszystko było skończone, a ten ostatni podjął pracę gdzieś w Zagłębiu Ruhry.

ROZDZIAŁ XI

Mimo cienia na tarasie zrobiło się gorąco. Słońce stało wysoko, weszłam więc z powrotem do domu, żeby wypić szklankę wody. Poszłam do gabinetu Hinnerka, usiadłam przy biurku i z lewej szafki na dole wyciągnęłam arkusz papieru maszynowego, ze schowanych tam wysokich stosów. Potem wzięłam z szuflady jeden z perfekcyjnie zatemperowanych ołówków i napisałam zaproszenie dla Maxa: dziś wieczorem, tuż przed zachodem słońca, małe przyjęcie, wielkie stroje. To ostatnie dodałam, bo nie chciałam być jedyną, która biega przebrana.

Włożyłam kartkę do białej koperty, napisałam na niej „Max Ohmstedt", wetknęłam do torby i wybiegłam. Upał uderzył mnie w twarz jak policzek. Liścik wrzuciłam do skrzynki na listy u Maxa. Była w niej inna korespondencja, co znaczyło, że dziś jeszcze skrzynki nie opróżniał i na pewno dostanie wiadomość ode mnie. A jeśli miał już jakieś plany? Cóż, to mi odmówi. W końcu nie miałam zamiaru gotować posiłku złożonego z czterech dań.

Popedałowałam do sklepu Edeka, kupiłam czerwone wino i z sentymentu opakowanie after eight. Wydawało się, że moja biała balowa sukienka nikogo tu nie gorszy. Włożyłam zakupy do torby i wróciłam do domu, zjadłam coś z tego, co leżało w lodówce, i zaczęłam planować wieczorne przyjęcie.

Gdzie powinniśmy usiąść? Przed domem na schodach, pod krzakiem róż? Nie dość uroczyście i będziemy widoczni z ulicy. Na tarasie pod wierzbą? W obliczu tego, co chciałam z nim omówić, eksogród zimowy nie był odpowiednim miejscem. W lasku? Za ciemno, za dużo kłujących gałęzi. W kurniku? Za ciasno, poza tym świeżo malowany. Na łączce w sadzie? Na trawie przed domem? A może w domu?

Zdecydowałam się na jabłonie za domem. Trawa była zbyt wysoka, ale dookoła stały wszystkie te meble ogrodowe, na których można było coś postawić. A za drzewami owocowymi rosły wysokie wierzby. Z sieni przyniosłam kosę Hinnerka. Dlaczego ja też nie miałabym tego umieć? Spróbowałam przypomnieć sobie, jak dziadek ją trzymał, gdy lekko i powoli kroczył po łamiących się źdźbłach. To, co wyglądało na łatwe, było jednak bardzo męczące, a upał wcale pracy nie ułatwiał. Odważnie wykosiłam trochę nieforemną plamę obok dużej jabłoni odmiany boskop, na której kiedyś Anna i Bertha miały swoją kryjówkę. Nie wyglądało to, jakby ktoś tu przygotował porządne miejsce na piknik, lecz raczej, jak gdyby stoczono tu bitwę. I tak też było, a kosa wygrała. Odwiesiłam to tępe narzędzie na swoje miejsce. Pomóc mogły tylko koce. Poszłam na górę, przeszukałam kufry i znalazłam duży patchworkowy dywanik, kilka grubych wełnianych koców i brązowo-złotą brokatową zasłonę. Jak ustrzeloną zwierzynę ściągnęłam swoje łupy po schodach. Wlokłam je następnie przez sień aż na tyły domu, na łączkę.

Te posażne kufry były cudowne. Wróciłam do nich i wyciągnęłam biały obrus z ażurowym haftem. Przy schodzeniu mój wzrok zawisł na regale z książkami. Grzbiety książek patrzyły na mnie. Stanęłam. Nie istniał żaden porządek. Rzeczy po prostu się zdarzały, a czasem pasowały.

Wzięłam obrus, pochwyciłam jeszcze w salonie kilka ciemnozielonych aksamitnych poduszek ze złotymi chwostami i wyniosłam to na dwór. Obrus łopotał na nadrdzewiałym czworokątnym składanym stole. Zgrabiłam na kupkę skoszoną trawę i rozłożyłam patchworkowy dywanik. Na nim ułożyłam wełniane koce, a potem jeszcze brokatową zasłonę. Dorzuciłam aksamitne poduszki i poczułam zachwyt, gdy wyciągnąwszy się na tym wspaniałym legowisku, spojrzałam w górę na drzewo. Nic jednak nie zobaczyłam, bo patrzyłam pod światło. Położyłam dłoń na twarzy.

Gdy się obudziłam, słońce było już niżej. Zamroczona, wygrzebałam się z poduszek. Nie mogłam sobie przypomnieć, żebym w jakimś okresie swego życia tak dużo spała. Ale nie potrafiłam sobie też przypomnieć, żebym w jakimkolwiek okresie swojego życia tak dużo machała kosą. Zataczając się jeszcze od snu, wbiegłam na górę; wmówiłam sobie, że słyszę w lamencie schodów jakąś zrezygnowaną, ale nie wrogą nutkę.

Umyłam się od stóp do głów, upięłam włosy w kok i wskoczyłam w granatową tiulową sukienkę, która kiedyś należała do Ingi. Dół tej sukni składał się z niezliczonych form plastrów miodu zrobionych z niczego, ograniczonych niebieską nitką. I im więcej tych dziur leżało jedne na drugich, tym mniej wyraźne było to, co kryło się pod nimi. Podczas zabaw z Rosmarie i Mirą ta sukienka zawsze była moja.

Myślałam o tym, jak poznałyśmy Mirę. Max też był przy tym. Rosmarie i ja na podjeździe od frontu bawiłyśmy się piłką, którą rzucałyśmy o ścianę domu, a potem klaskałyśmy, najpierw raz, potem dwa razy, potem trzy i tak dalej. Ta, która upuściła piłkę albo zapomniała klasnąć, przegrywała. Grałyśmy w to z obrotami i z trudnymi do wymówienia słowami i z czym nam tam jeszcze przyszło do głowy. Nagle na środku podjazdu stanęła dziewczynka o czarnych włosach, ze swoim młodszym bratem. Rosmarie wiedziała, kim jest dziewczynka i gdzie mieszka. Chodziły do tej samej szkoły, ale ona o klasę wyżej niż Rosmarie. Brat był jednoznacznie o wiele, wiele młodszy ode mnie, co najmniej o rok, to było widać od razu. Dziewczynka z nieruchomą twarzą podnosiła z ziemi małe kamyki i rzucała w Rosmarie. Już cieszyłam się na to, co moja bojowo nastawiona cioteczna siostra zaraz zrobi. Ale, ku mojemu oburzeniu, nie zrobiła nic. Wydawało się nawet, że jej to pochlebia i ukazała szczeliny między zębami; miała jeszcze ostro zakończone kły, za to brakowało jej górnych siekaczy. Wyraz jej twarzy był przez to jeszcze dzikszy, a także trochę podstępny. Wzięłam kamień i rzuciłam nim w obcą dziewczynkę. Ale trafiłam tylko jej młodszego brata, który natychmiast zaczął ryczeć. I wtedy oboje mogli się do nas przyłączyć.

Zadawałam sobie pytanie, co pamięta Max. Musiał wtedy mieć jakieś sześć lat, jego siostra dziewięć, ja siedem, a Rosmarie osiem. Teraz byliśmy o dwadzieścia lat starsi. Z wyjątkiem Rosmarie, oczywiście. Ona już zawsze będzie miała niecałe szesnaście lat. Podkasałam swoje tiulowe spódnice i zeszłam na dół, żeby przynieść kryształowe kieliszki z witryny w salonie. Akurat kiedy znów zastanawiałam się nad tym, co mam zrobić, jeśli on w ogóle nie przyjdzie, jeśli zaraz po pracy wyszedł gdzieś z przyjaciółmi albo do kina, usłyszałam dzwonek. Kieliszki rozdzwoniły mi się w rękach. Podeszłam do drzwi i otworzyłam. Za progiem stał Max trzymający w dłoni bukiet margerytek. Miał na sobie białą koszulę i czarne dżinsy. Uśmiechał się z zakłopotaniem.

– Dziękuję za zaproszenie.

– Wchodź.

– Wyglądasz... jesteś....

– Bardzo dziękuję. Już chodź i pomóż mi.

– To co to za zaproszenie? Wszystko trzeba robić samemu?

Wyglądał jednak na całkiem zadowolonego, kiedy podążył za mną do kuchni. Wstawiłam kwiatki do wody i wetknęłam mu wazon do jednej, a butelki z winem do drugiej ręki. Wzięłam kosz z kuchennej szafki i włożyłam do niego szkło, talerze, nóż, ser, chleb, marchewki, arbuz, czekoladę, after eight i duże lniane serwetki. Przez sień ruszyliśmy na łączkę w sadzie.

– Hej, co to jest?

Najwyraźniej miał na myśli koce pod drzewem.

– Musiałam to wszystko tutaj położyć, pod spodem znajduje się wydarty przeze mnie kosą kawałek gleby. Ale za to wyśmienicie mi się dziś po tym koszeniu spało.

– Aha. To znaczy, że się tu już wyleżałaś i naprzeciągałaś swoje grzeszne ciało.

– Jak na kogoś, kto na widok mojego grzesznego ciała natychmiast w panice ucieka do czarnej wody, jesteś dość figlarny.

– Poruszony. Iris, ja....

– Milcz i nalej wina.

– Tak jest, madame.

Wypiliśmy najpierw parę łyków na stojąco, a potem usiedliśmy pod jabłonią.

– Trochę to wszystko skromne, ale nie przyszedłeś przecież, żeby się najeść.

Max rzucił mi długie spojrzenie.

– Nie? Nie po to?

– Przestań. Muszę z tobą porozmawiać.

– Dobrze. Słucham.

– O domu. Co się stanie, jeśli nie przyjmę spadku?

– O tym porozmawiajmy lepiej w moim biurze.

– Ale teoretycznie co by się stało?

– Dostaliby go twoi rodzice. I ty kiedyś znowu. Nie chcesz tego domu? Decyzję Berthy, żeby zapisać go akurat tobie, uważam za genialne posunięcie.

– Kocham ten dom, ale to trudne dziedzictwo.

– Potrafię sobie wyobrazić, co masz na myśli.

– Czy twoja siostra wie, że tu jestem?

– Tak. Rozmawiałem z nią przez telefon.

– I co mówi?

– Niewiele. Chciała wiedzieć, czy rozmawialiśmy o Rosmarie.

– Nie, nie rozmawialiśmy.

– Nie.

– Chcesz o niej porozmawiać?

– Wszystkiego dowiadywałem się z boku, byłem młodszy od was, a do tego byłem chłopcem. I pewnie pamiętasz, jak wtedy u nas było. Mam na myśli matkę. Po śmierci Rosmarie Mira już nie była sobą. Z nikim nie rozmawiała, nawet z rodzicami, przede wszystkim nie z rodzicami.

– A z tobą?

– Ze mną tak. W każdym razie czasami.

– Dlatego tu zostałeś? Jako tuba między rodzicami a siostrą?

– Bzdura.

– Przecież tylko pytam.

– Wyobraź sobie, Iris, że nie masz monopolu na miłość do torfowego jeziora i brzozowych lasów, do śluzy i chmur nad deszczowymi pastwiskami. Przynajmniej raz sobie to wyobraź.

– Ależ jesteś romantyczny.

– I ty mnie też. W każdym razie… Co ja chciałem powiedzieć…? A wracając do Miry... Po śmierci twojej ciotecznej siostry nie oszalała, nie brała narkotyków i nie zeszła na psy. Siedziała całymi dniami w swoim pokoju i uczyła się do końcowych egzaminów. Zdała matematykę na maturze najlepiej w całej szkole, miała doskonałą średnią i studiowała prawo w rekordowym tempie. Ma doktorat.

– Z czego? Z paragrafu dwieście osiemnastego*?

Wymknęły mi się te słowa. Oczy Maxa się zwęziły. Spojrzał na mnie ostro.

– Nie. Z prawa budowlanego.

Nastąpiła nieprzyjemna cisza. Max przejechał sobie dłonią po twarzy. Potem powiedział troszkę zbyt mimochodem:

– Mam tu krótki artykuł na jej temat. Bardziej notatkę o tym, że teraz jest partnerką w berlińskiej kancelarii. Ukazał się przed kilkoma tygodniami w pewnej gazecie prawniczej. Chcesz zobaczyć?

Skinęłam głową.

Max powoli wyciągnął z tylnej kieszeni spodni dwie wyrwane i złożone na pół kartki. Zamierzał więc porozmawiać o swojej siostrze. Czy miał jeszcze inne plany na ten wieczór?

– To... więc jest tu też jej zdjęcie.

– Zdjęcie Miry? Pokaż!

Chwyciłam te kartki i spojrzałam na zdjęcie.

Wszystko zaczęło się powoli obracać. Twarz na stronie zbliżyła się, potem znów oddaliła. Czułam, że się pocę. W uszach mi tętniło, to było brzydkie, metalowe dudnienie. Teraz tylko nie zemdlej, koniec z tym spadaniem w otchłań. Wzięłam się w garść.

Twarz na stronie. Twarz Miry. Oczekiwałam światowej fryzury, czarnej i błyszczącej, jak hełm, szykownego kostiumu, jeśli już nie czarnego, to może szarego albo ekscentrycznego ciemnofioletowego. Seksownego i ascetycznego. I wyglądu diwy niemego kina.

---

* Paragraf 218 niemieckiego kodeksu karnego za przerwanie ciąży przewiduje karę do 3 lat pozbawienia wolności lub karę grzywny, jego egzekwowanie jest jednak w wielu wypadkach ograniczone.

A to, co trzymałam w rękach, było zdjęciem pięknej kobiety z długimi miedzianorudymi włosami i miedzianymi brwiami, która miała na sobie waniliową satynową sukienkę, połyskującą niemal jak złoto. Oczy bez grubej kreski na powiekach wyglądały całkiem inaczej. Rzęsy były wytuszowane na ciemno. Patrzyła na mnie z leniwym uśmiechem na ustach pomalowanych ciemnoczerwoną pomadką.

Opuściłam kartkę ze zdjęciem i wrogo spojrzałam na Maxa.

– Co... co to jest? Czy ona jest chora, czy tylko ma chore poczucie humoru?

– Zapuściła sobie włosy i zamiast na czarno, farbuje je na rudo. Z tego, co wiem, wiele kobiet tak robi.

Max przyglądał mi się. Trochę chłodno, jak mi się zdawało. Jeszcze nie wybaczył mi paragrafu 218.

– Ależ Max! Spójrz przecież!

– Takie włosy ma już od dłuższego czasu. Włosy nie rosną z dnia na dzień. Przestała je farbować na czarno od razu, gdy tylko się stało to z Rosmarie. Potem je zapuszczała, rudy kolor pojawił się później.

– Ale widzisz przecież, że...

– ...że wygląda jak Rosmarie. Tak. Ale dostrzegłem to dopiero na tym zdjęciu. Być może to przez tę złotą sukienkę. Nie mam pojęcia, co to znaczy. Dlaczego to dla ciebie takie ważne?

Sama nie wiedziałam. W końcu wszyscy musieliśmy sobie jakoś radzić ze sprawą Rosmarie. Harriet wstąpiła do sekty, Mira się przebierała. Być może jej sposób był nawet uczciwszy niż mój. Wzruszyłam ramionami i unikałam wzroku Maxa. Wino ciemno połyskiwało w dużych kieliszkach. Miało kolor pomadki Miry. Już nie mogłam go pić. Ogłupiało mnie. I traciłam pamięć.

*

Matka Miry i Maxa, pani Ohmstedt, była pijaczką. Gdy jej dzieci wracały ze szkoły i dzwoniły, na podstawie czasu, który zajmowało jej dotarcie do drzwi i otwarcie ich, mogły mniej więcej ocenić, na ile była pijana.

– Im dłużej, tym bardziej – wyjaśniała nam Mira głosem bez wyrazu.

Spędzała w domu jak najmniej czasu. Nosiła swoje czarne rzeczy, które jej rodzice uważali za straszne, w dniu ustnej matury wyprowadziła się do przyjaciółki, a wkrótce potem do Berlina. W wypadku Maxa sprawy miały się inaczej. Ponieważ Mira była tak trudna, on musiał być miły i kochany. Sprzątał puste butelki, przykrywał matkę, jeśli nie była w stanie przenieść się z sofy do łóżka.

Pan Ohmstedt rzadko bywał w domu. Budował mosty i zapory i najczęściej był w Turcji, w Grecji albo w Hiszpanii. Wcześniej pani Ohmstedt była tam razem z nim, ponad trzy lata mieszkali w Stambule. Pani Ohmstedt to uwielbiała: tureckie bazary, święta i imprezy w ambasadzie, inne niemieckie kobiety, klimat, piękny wielki dom. Gdy była w ciąży z Maxem, postanowili wrócić. W końcu przecież nie mieli zamiaru wyemigrować, a poza tym dzieci powinny wychowywać się w Niemczech. Ale nie wiedzieli, że o wiele łatwiej wyjechać niż wrócić.

Pan Ohmstedt miał swoją pracę i nadal musiał podróżować, ale Heide Ohmstedt siedziała tylko tutaj, w Bootshaven. Ze względu na dzieci nie przenieśli się do miasta. Ona boleśnie odczuwała brak bliskich relacji, jakie panowały pomiędzy Niemcami za granicą. Tu wszyscy tkwili w swoich domach, nikt nie był jej ciekawy. Swoją obojętność nazywali tu dyskrecją, i byli z niej dumni. Swoją nieuprzejmość nazywali bezpośredniością, prostolinijnością albo uczciwością, i z tego też byli dumni. Panią Ohmstedt uważano za egzaltowaną, męczącą, ekscentryczną i powierzchowną. Mówiła rzeczy w rodzaju:

– Gwiżdżę na ludzi tutaj, na ich – ach jakie miękkie! – serca w szorstkich skorupach.

Uważała, że to był tylko pretekst, by bez przeszkód być bezwstydnym. Wkrótce została bardzo samotna. Gwizdała na to. Wyjątkowo dobrze potrafiła na to gwizdać, kiedy trochę wypiła, wtedy gwizdała tak plugawie i wesoło jak wróbelek.

Pan Ohmstedt był zrozpaczony. I bezradny. A przede wszystkim go nie było.

Tego dnia, kiedy Max przyszedł ze szkoły i znalazł matkę leżącą w piżamie na tarasie przy minus siedmiu stopniach na termometrze, zabrano ją na sygnale do szpitala. Nie zamarzła. Pozwoliła się jednak skierować do jakiejś kliniki na czterotygodniową kurację odwykową. Max miał wtedy szesnaście lat, Mira mieszkała już w Berlinie. Wtedy jeszcze istniał mur, a Berlin oznaczał tyle, co bardzo, bardzo daleko.

Pani Ohmstedt się udało. Zaczęła dużo pracować dla Kościoła, nie dlatego, że nagle odnalazła Jezusa, tylko więzy wspólnoty przypominały jej ścisłą więź Niemców w Stambule. Można było organizować imprezy, uczęszczać na nie, uczestniczyć w wycieczkach, wykładach, w pracach kobiecych kółek, imprezach dla seniorów, pieszych wędrówkach. Próbowała nie pozostawać długo sama w domu.

Teraz w tym domu mieszkał Max i chodził na cmentarz, żeby chlać. Kobiety już nie miał. Właściwie powinien gorzej wyglądać – pomyślałam i szukałam na jego twarzy jakichś śladów zniszczenia. Max mnie przy tym obserwował, przymknąwszy oczy.

– I co? – zapytał. – Coś znalazłaś?

Zawstydziłam się.

– Dlaczego? Co masz na myśli?

– No, widzę przecież, że właśnie starasz się znaleźć dowody, które pozwolą ci uznać mnie za współuzależnionego.

Teraz bardzo poczerwieniałam. Czułam to.

– Jesteś stuknięty.

– Cóż, na twoim miejscu bym to zrobił. – Wzruszył ramionami i upił łyk.

Zapytałam ostrożnie:

– Dlaczego miałbyś chcieć pić?

– Co chcesz usłyszeć? Mam powiedzieć: „żeby zapomnieć"?

Zagryzłam wewnętrzną stronę policzków i popatrzyłam w bok. Nagle zapragnęłam, żeby Max poszedł do domu. Chciałam nazajutrz rano odrzucić spadek i też pojechać do domu. Nie chciałam tego wszystkiego tutaj. Nie chciałam też rozmawiać. Powinien sobie pójść.

Znów przejechał sobie dłonią po twarzy.

– Przykro mi, Iris. Masz rację, jestem stuknięty. Nie chciałem ci sprawić przykrości, tobie najmniej. To tylko dlatego, że dobrze się tu urządziłem. To znaczy: w swoim życiu. Niczego mi nie brakowało. To nie było ekscytujące życie, ale też nie pragnę ekscytacji. Chciałem spokoju. Bez niespodzianek. Dobrze radzę sobie ze wszystkim, nie sprawiam nikomu bólu, nikt nie sprawia go mnie. Nie jestem za nikogo odpowiedzialny, nikt nie jest odpowiedzialny za mnie. Nie łamię nikomu serca i nikt nie łamie mojego. A potem znów tu przyjeżdżasz, po Bóg wie ilu latach. Wszędzie się pojawiasz – nawet w jeziorze – a mnie za każdym razem ogarnia olbrzymi lęk. I w dodatku zaczynam się z tego cieszyć! Mimo że, o ile wiem, za dwa dni znów wyjedziesz, prawdopodobnie na zawsze. I już nie mogę spać, już nie mogę pojechać popływać, nie spadając z roweru z powodu ostrych zaburzeń rytmu serca. Do diabła! Maluję po nocach kurniki! No to pytam: czy może być jeszcze gorzej?

Roześmiałam się, ale Max pokręcił głową.

– Nie. Nienienienie. Oszczędź sobie. Czego właściwie chcesz? – spytał.

Słońce prawie zaszło. Z miejsca, gdzie siedzieliśmy, widzieliśmy lipy na podjeździe. W ich liściach drżały ostatnie żółtozłote promienie światła.

Gdy Mira wtedy stała na podjeździe i patrzyła, jak Inga patrzy, jak Rosmarie całuje Petera Klaasena w usta, rozlała lemoniadę. Postawiła obydwie szklanki, swoją i tę dla Rosmarie, obok siebie na trawie i wgryzła się w grzbiet prawej dłoni, aż zaczęła krwawić. Oczy Rosmarie srebrzyście błyszczały, gdy mi to opowiadała.

Dzień po tym pocałunku Mira poszła na stację benzynową i czekała, aż Peter Klaasen skończy pracę. Widział ją od dawna i nie chciał z nią rozmawiać. Dręczył się i nie miał odwagi porozmawiać z Ingą, ze strachu, że ostatecznie mógłby ją stracić. Rosmarie po prostu go zaskoczyła. Nie chciał jej, chciał Ingi.

Mira oparła się o jego samochód, gdy chciał wsiąść, by jechać do domu. Powiedziała, żeby ją kawałek podwiózł, bo wie o czymś, co go może interesować, ma to coś wspólnego z Ingą. Co innego mógł zrobić, jak tylko otworzyć drzwi dla pasażera?

– Jedziemy do ciebie – postanowiła Mira.

Kiwnął głową. Tam wpuścił ją do swego pokoju. Usiadła na sofie i powiedziała mu to, co już wiedział: Inga widziała, jak całował Rosmarie, i chce, żeby nigdy więcej nie przychodził do domu – ani na korepetycje, ani na jakiekolwiek inne spotkania. Inga miała jeszcze powiedzieć, że chyba nie ma człowieka, którym pogardza bardziej niż uwodzicielem małoletniej uczennicy. Peter się załamał. Oparł głowę o stół i płakał. Mira nic więcej nie powiedziała. Patrzyła na niego tymi oczami, które wyglądały, jak gdyby były osadzone odwrotnie, i myślała o Rosmarie. Myślała o tym, że Rosmarie całowała tego mężczyznę. Rozpięła więc swoją czarną sukienkę. Peter Klaasen patrzył na nią niewidzącym wzrokiem. Mira miała na sobie czarny biustonosz, jej skóra była bardzo jasna. Rozpięła bluzkę, ale on ledwie to zauważył. Gdy położyła mu dłoń na ramieniu, pomyślał o Indze i o tym, że ta dziwna czarno-biała dziewczyna jest ostatnim, co łączy go z Ingą. Mira patrzyła na jego usta, które dotykały ust Rosmarie. Peter Klaasen o wiele za późno zauważył, że Mira była dziewicą, ale być może nie chciał tego wcześniej zauważyć. Odwiózł ją do domu, bladą i milczącą. Gdy wrócił do swojego pokoju, jego spojrzenie padło na list z propozycją pracy w pobliżu Wuppertalu. Gdy list przyszedł, nie brał propozycji pod uwagę. Ale teraz nie było już jak przedtem. Jeszcze tej samej nocy odpisał, wyrażając zgodę. Tydzień później przeprowadził się do Wuppertalu. Nie zamienił z Ingą już nigdy ani słowa.

Mira zaszła w ciążę. Za pierwszym razem. Nienawidziła Petera Klaasena, a on i tak był daleko stąd. Opowiedziała o tym Rosmarie, gdy siedziały w kuchni i piły sok jabłkowy. Wszystko było tak jak zawsze: sok jabłkowy, czerwona cerata na stole, a jednocześnie nic nie było już tak jak przedtem.
Rosmarie spytała:
– Zrobiłaś to z mojego powodu, prawda?
Mira tylko na nią popatrzyła.
Rosmarie powiedziała:
– Usuń to.
Mira pozostała niema. Pokręciła tylko głową.
– Usuń to, Mira – powtórzyła Rosmarie. – Musisz.
Mira znów pokręciła głową. Patrzyła na Rosmarie. Widać było białko pomiędzy dolną powieką a brązową tęczówką.
– Mira, musisz. Musisz!
Nachyliła się nad kuchennym stołem i twardo pocałowała Mirę w usta. To był długi pocałunek. Obydwie dy-

206

szały, gdy Rosmarie z powrotem usiadła. Mira wciąż jeszcze nic nie mówiła. Jej twarz była teraz biała jak kreda. Przestała kręcić głową. Wpatrywała się w Rosmarie. Ta obejrzała się, otworzyła usta, żeby coś powiedzieć, ale nagle odchyliła głowę do tyłu i roześmiała się.

Śmiała się też, kiedy mi to opowiadała tamtego wieczoru. Był sierpień, zbliżał się koniec moich wakacji. Chociaż minęła już dziesiąta, nie było jeszcze całkiem ciemno, kiedy Rosmarie przyszła na górę. Siedziałyśmy na szerokim parapecie naszego pokoju, który był pokojem jej matki, gdy była dziewczynką. Pracownia Harriet mieściła się tuż obok. Jako sypialni zaczęła tymczasem używać drugiej jadalni, zaraz obok drzwi wejściowych. Tam lepiej słyszała, czy Bertha chodzi na dole.

Zapytałam Rosmarie:

– Kiedy o tym rozmawiałyście? Dopiero co?

– Nie, kilka dni temu.

– A teraz? Byłaś u Miry?

Szybko kiwnęła głową i odwróciła się.

Marzłam i nie przychodziło mi do głowy, co jeszcze powinnam powiedzieć. Mój mózg był pusty. Może też miałam nadzieję, że Rosmarie skłamała, żeby zemścić się za tę kłótnię dzisiaj w ogrodzie, kiedy grałyśmy we trzy w „żryj albo giń". W końcu jeszcze miałam do niej żal również o ten policzek. W gruncie rzeczy wiedziałam jednak, że mówi prawdę. Najchętniej poszłabym do matki i wszystko jej opowiedziała, ale to było nie do przyjęcia. Teraz już nie. Chwilę później zeszłyśmy jeszcze raz na dół, żeby powiedzieć dobranoc. Inga też tam była. Trzy siostry i ich matka siedziały w salonie. Inga i Rosmarie niewiele ze sobą rozmawiały od sprawy z Peterem Klaasenem. Ale tej nocy Inga podniosła się i stanęła przed swoją siostrzenicą. Obydwie były tego samego wzrostu. Inga uniosła ręce i jej dłonie płynnym

ruchem gładziły Rosmarie od czubka głowy po jej rozpusz-
czonych włosach i po bokach wzdłuż rąk. W pokoju słychać było elektryczne trzaski. Rosmarie nie drgnęła. Inga się
uśmiechała.

– Tak. I cóż, śpij dobrze, dziecko.

W milczeniu poszłyśmy na górę. Tej nocy nie opowiadałyśmy sobie żadnych historii o ojcu Rosmarie. Odwróciłam się do niej plecami i próbowałam zasnąć. Miało mi to
ułatwić postanowienie, że następnego dnia jednak opowiem
wszystko matce. Sen nadchodził powoli, ale w końcu przyszedł.

Śniłam, że Rosmarie stoi za mną i szepcze coś do mnie.
W którymś momencie obudziłam się. Rosmarie klęczała za
mną na łóżku i szeptała:

– Iris, nie śpisz? Iris. Obudź się. Nie śpisz, Iris? Iris. Daj
spokój. Obudź się w końcu. Już. Iris. Proszę.

Ani myślałam się znów rozbudzić. Rosmarie chyba zwa-
riowała. Przede wszystkim biła mnie w ogrodzie, poza tym
robiła te wszystkie rzeczy z Peterem Klaasenem i z Mirą.
Mira też robiła je z Peterem Klaasenem. A ja nie chciałam
o tym wiedzieć. Niech mnie zostawią w spokoju.

Szepty Rosmarie stawały się coraz bardziej natarczywe,
prawie błagalne. Może mnie prosić, ile chce. Rozkoszowałam się tym, że chociaż raz mam nad nią przewagę, chociaż
nie robiłam nic oprócz udawania, że śpię. I prawie nie musiałam udawać. Niech sobie idzie do Miry. Albo do tego siwowłosego geniusza matematycznego od wazonu z kwiat-
kiem. Ja nie byłam do jej dyspozycji.

Chociaż leżałam odwrócona do niej plecami, wyczuwa-
łam napięcie Rosmarie. Miałam wrażenie, jakby moje ciało
miało kolce, które wyrastały przez skórę. Nie mogłam już
długo uleżeć w bezruchu. Czułam, że jeszcze chwila, a Rosmarie zacznie mną potrząsać. Jej dłoń zaraz chwyci mnie za
ramię. Wtedy na pewno będę musiała krzyknąć. Zwlekanie

Rosmarie było prawie nie do wytrzymania. Teraz czułam jej oddech na swoich zamkniętych powiekach, pochylała się nade mną. Zebrałam wszystkie siły, żeby nie otworzyć oczu ani nie mrugnąć. Czułam, jak narasta we mnie chichot. Gdy dotarł do szyi, już chciałam otworzyć usta i pozwolić mu wyskoczyć, kiedy po ruchach materaca zorientowałam się, że Rosemarie się odwraca i wychodzi z łóżka. Słyszałam jej tupanie po pokoju. Długi błyskawiczny zamek sukienki – to była, jak później się przekonałam, ta fioletowa z przezroczystymi rękawami – zaskomlał, gdy Rosmarie zaciągnęła go zdecydowanym szarpnięciem. A więc chciała jeszcze wyjść? Powinna pójść do Miry. Może chciały się spotkać, żeby dziergać razem małe czarne czapeczki i małe czarne sweterki. Dla niemowląt o lodowato siwych włosach.

Słyszałam, jak Rosmarie skrada się w dół schodami. Byłam pewna, że na ten odgłos zbiegnie się cała rodzina i będzie na dole oczekiwała na Rosmarie, zanim ta dotrze do ostatniego schodka. Ale nic się nie stało. Usłyszałam jeszcze odgłos kuchennych drzwi, co potwierdzało, że nie wyszła głównymi drzwiami. To było mądre, bo mosiężny dzwonek na pewno obudziłby ciotkę Harriet. Potem nastała cisza.

Musiałam znów zasnąć, bo w którymś momencie zerwałam się przerażona, gdy jakaś dłoń łagodnie, ale stanowczo dotknęła mojego ramienia. Najpierw pomyślałam, że Rosmarie wróciła, ale to była dłoń babki, która stała przy łóżku. Rosmarie nie było. Zaspana, patrzyłam na Berthę zmrużonymi oczami. W swoich nocnych wędrówkach zazwyczaj nie przychodziła do pokoi na górze. Moja matka spała na dole obok niej i właściwie powinna była zauważyć ruch w pokoju za ścianą.

– Niech pani przyjdzie – szeptała Bertha.

Jej siwe włosy wisiały rozpuszczone. Nie włożyła sztucznej szczęki, tak że jej usta wyglądały, jak gdyby połknęły same siebie. Musiałam sobie zadać trud, żeby rozmawiać z nią przyjaźnie.

– Babciu, zaprowadzę cię z powrotem do łóżka, tak?

– Kim pani jest, moja mała panienko?

– To ja, Iris. Twoja wnuczka.

– Naprawdę? Muszę łowić.

– Zaczekaj. Idę z tobą.

Dreptałam za Berthą po schodach w dół. Była szybka.

– Nie, babciu. Nie wychodź. Do łóżka!

Ale ona już wzięła klucz z haka, włożyła do zamka, przekręciła i nacisnęła klamkę. Mosiężny dzwonek zabrzmiał w całym domu jak strzał. Moja matka spała. Inga musiała być jeszcze na górze.

Bertha wyszła. Na dworze było cieplej niż w tym starym domu. I jaśniej. Księżyc świecił na granatowym niebie. Był duży, prawie w pełni, i wycinał ostre cienie w trawie. Bertha zeszła po schodach i nagle stanęła, jak gdyby trafiła na niewidzialny mur. Patrzyła na coś, co zdawało się wisieć w powietrzu przed nią, ale nie nad jej głową. Wytężyłam uwagę. Jej spojrzenie wciąż niespokojnie wędrowało, jak gdyby w poszukiwaniu czegoś, czego mogłoby się uchwycić. Ale teraz coś naprawdę widziała. A potem i ja to zobaczyłam. Wysoko na wierzbie siedziała ciemna postać. Dopiero po dłuższym przypatrywaniu się mogłam rozpoznać Mirę i Rosmarie. Kucnęły tak blisko siebie, że nie można było dostrzec oddzielnie ich zarysów. Potem jedna postać się oddzieliła, to była Rosmarie, i zsunęła się powoli z gałęzi wierzby na płaski, ale lekko opadający dach ogrodu zimowego. Nie wolno nam było tego robić. Ogród zimowy był stary, dach był nieszczelny, co druga szyba stłuczona albo po części wysunięta ze stalowej ramy. Rosmarie balansowała na górze, posuwając się wzdłuż metalowej ramy. Rękawy jej sukienki wydymał nocny wiatr. Jej ręce biało połyskiwały. Nie mogłam jej zawołać. Odnosiłam wrażenie, że usta i język mam oplecione grubymi szarymi pajęczynami. Bertha, stojąca obok mnie, zaczęła drżeć.

Mira krzyczała. Potrzebowałam kilku sekund, by pojąć, że te krzyki naprawdę wydaje ludzka istota. Na chwilę mnie rozproszyły. Gdy znów skupiłam wzrok na Rosmarie, patrzyła mi prosto w twarz. Przeraziłam się. W świetle księżyca jej oczy były prawie białe. Wydawało się, że ma na twarzy ten swój uśmiech drapieżnika, ale może tylko jej górna warga przesunęła się powyżej siekaczy. Nagle odrzuciła głowę do tyłu, zdjęła stopę z metalowej ramy i postawiła ją na szkle. Najpierw nic się nie zdarzyło, potem coś zgrzytnęło. Mira oniemiała. Wyciągnęła rękę. Rosmarie ją pochwyciła.

A potem się to stało. Mira wzdrygnęła się. Poraził ją elektryczny impuls płynący od Rosmarie. Puściła rękę przyjaciółki. Trzaski i zgrzyty. Odgłos tępego uderzenia i niekończący się ostry brzęk; jedna szyba po drugiej uwalniały się z zamocowań i spadały na podłogę. Szkło rozpryskiwało się na kamieniach. Szkło pryskało. Szkło. Przeniknięte księżycem nocne powietrze iskrzyło się od kurzawy odprysków i kawałków szkła. Krzyknęłam i wbiegłam do domu, żeby przyprowadzić matkę i Harriet. Gdy wpadłam na korytarz, już wszystkie trzy siostry szły mi naprzeciw. Inga nie była w piżamie. Pobiegłyśmy razem do ogrodu. Mira zeszła z wierzby. Klęczała teraz obok Rosmarie i znów krzyczała.

Rosmarie leżała na plecach na jasnych kamieniach. Nocny wiatr igrał z rękawami jej sukienki. Kawałki szkła lśniły wokół niej jak kryształy. Z nosa płynęła jej strużka krwi.

Harriet rzuciła się na swoją córkę i próbowała sztucznego oddychania metodą usta-usta. Moja matka i ciotka Inga pobiegły do domu i zadzwoniły po karetkę. Karetka przyjechała i zabrała Rosmarie wraz z Mirą i Harriet.

Gdy odjechały, na posadzce została ciemna kałuża krwi.

Okazało się, że Rosmarie umarła z powodu uszkodzenia mózgu. Krwi straciła bardzo niewiele.

To była kałuża krwi Miry.

Tak dowiedzieliśmy się o przerwaniu ciąży, któremu Mira poddała się poprzedniego dnia.

Bertha zniknęła. Musiałyśmy jej poszukać. Christa, Inga i ja cieszyłyśmy się, że mamy coś do roboty. Razem przeczesywałyśmy ogród. Babka stała przy krzakach porzeczek.

– Anno, chowaj mnie.

Uśmiechnęła się do mnie niepewnie.

– Ty nie jesteś Anna.

Pokręciłam głową.

– Gdzie jest Anna? Powiedz. Ja nie wies, co te kulki brzynczą. – Pokazywała owoce porzeczek. – Gdzie mamy to łagocować? Myślę, że stąd też nie będzie lepiej. A może? Powiedz wreszcie. To zdumić skak. Jeśli chcemy. Ja biedne dziecko. Ja biedne dziecko.

Stała się jeszcze bardziej niespokojna. Wciąż się pochylała, żeby podnieść z ziemi opadłe porzeczki.

– I wtedy zawsze jeszcze się tańczyło i tańczyło. Tu jest tylko tuzik. Nie można też przecież. Tak jak kiedyś było. Poczta jest tu. Trutututu. I teraz jest wszystko.

Płakała.

Poza tym narobiła w spodnie od piżamy. Tak chciałabym się również rozpłakać. Ale się nie dało. Wzięłam Berthę za rękę, ale wtedy się rozzłościła i wyrwała dłoń. Odwróciłam się i poszłam. Christa i Inga powinny to zrobić. Ja nie mogłam. Bertha poszła za mną. Gdy zobaczyła córki, pomachała ręką i rzuciła się im na szyje.

– Tu są moje matki! To przecież wielka radość. Łaskawe.

Inga i Christa ujęły ją pod pachy. Szłam powoli za nimi. Kto tu był dla kogo oparciem, nie dało się poznać.

*

212

Od tamtej nocy każdej kolejnej, która po niej nastąpiła, wzbraniałam się przed zadawaniem sobie następujących pytań:

Co chciała mi powiedzieć Rosmarie? Dlaczego mnie budziła? Czy chciała ze mną porozmawiać? Chciała, żebym porozmawiała z Mirą? Chciała, żebym jej towarzyszyła? A jeśli tak, dokąd zamierzała najpierw iść? Może do śluzy albo nad jezioro, żeby popływać? Może po prostu tylko na jabłoń za domem? Może do ciotki Harriet? Czy widziała mnie i Berthę stojące w ciemności? Dlaczego nie zawołałam? Dlaczego ona mnie nie zawołała? Czy wiedziała, że Mira usunęła ciążę? Jeśli nie, to czy Mira wtedy wieczorem jej powiedziała i dlatego Rosmarie skoczyła? Życie za życie? Jeśli tak, to czy chciała mi o tym opowiedzieć? Jeśli tak, to czy czuła ulgę? Jeśli tak, to czy potem się przestraszyła? Dlaczego się tam wdrapała? Czy skoczyła? Czy spadła? Czy to był nagły kaprys? Czy zaplanowała to? Czy Mira niechcący ją puściła? Świadomie? Czy zmusiła Mirę, żeby ją puściła? Co znaczyły te elektryzujące życzenia na dobranoc? Czy ciotka Inga chciała się zemścić? Czy Rosmarie chciała się ze mną pożegnać? Chciała mi zdradzić jeszcze jedną tajemnicę? Chciała się pogodzić? Chciała mnie prosić o przebaczenie? Chciała, żebym ja ją poprosiła o przebaczenie? Co by się stało, gdybym mrugnęła okiem? Co by się stało, gdybym nie rżnęła obrażonej? Co by się stało, gdybym się wykradła za nią? Co by się stało, gdybym ją na dworze zawołała? Co chciała mi powiedzieć tej nocy? Dlaczego próbowała mnie obudzić? Czy od początku zamierzała wyjść, czy chciała wyjść tylko dlatego, że ja nie chciałam się obudzić? Co chciała mi powiedzieć Rosmarie? Co, co, co? Co chciała mi powiedzieć Rosmarie? Dlaczego udawałam, że śpię? Co by było, gdybym zachichotała? Co by było, gdybym mrugnęła? Co by było, gdybym usłyszała, co chciała mi powiedzieć? Co chciała mi powiedzieć? Co?

Rozdział XII

Max nie poszedł do domu. Tej nocy kochaliśmy się pod jabłonią.

Gdy słońce wstało, wyjechaliśmy na rowerach i pływaliśmy w jeziorze. Woda była miękka, zimna, i tam, gdzie nie lśniła srebrzyście, wydawała się czarna. Towarzyszyłam mu do domu, a on zapytał, czy może wpaść po pracy. Powiedziałam:

– Tak.

Gdy szłam, wysoko podnosząc kolana, po mokrej od rosy trawie w kierunku łączki w sadzie, z początku niczego nie zauważyłam. Dopiero kiedy wyciągnęłam się na naszym nocnym legowisku i spojrzałam w górę na drzewo, zobaczyłam, że przez noc jabłka dojrzały. Ciężkie owoce odmiany boskop z szorstką zielono-czerwono-brązową skórką wisiały na gałęziach. Był czerwiec. Wstałam, zerwałam jedno, ugryzłam, smakowało słodko i kwaśno, a skórka była trochę cierpka.

Poszłam po wiadra i kosze. Po drodze przyszło mi coś do głowy i odbiłam jeszcze w stronę krzaków porzeczek. Ale tu wszystko było jak zawsze. Tylko białe i czarne.

*

Przez cały dzień zrywałam jabłka.

Zrobiło się upalnie, drzewo było duże i mocno obciążone. Przystawiłam do pnia aluminiową drabinę. Przy wiadrach, koszach i wanienkach, które sobie wyszukałam i przyniosłam, leżały też metalowe haki w kształcie litery S, które jedną stroną zawieszało się na gałęzi. Na drugi koniec zakładało się rączkę wiadra. Z tym wiadrem wiele razy wchodziłam po drabinie i schodziłam z niej. Zrywanie jabłek było męczące, ale drzewo mi to ułatwiało. Jego gałęzie były mocne i rozłożyste, mogłam na nich stać, wdrapywać się po nich i bez kłopotu dosięgać owoców.

Czy to była jabłoń, z której Bertha kiedyś spadła, zanim wstała jako stara kobieta? Nie wiedziałam, ale też nie było to specjalnie ważne. Po upadku Rosmarie Harriet się załamała. Inga szukała dla Berthy miejsca w domu opieki. Ale prawie dwa lata potrwało, zanim Harriet wyprowadziła się z domu i znalazła sobie mieszkanie w Hamburgu. W tym czasie Inga troszczyła się o matkę, często przywoziła ją popołudniami do domu. Troszczyła się też o Harriet. Moja matka jeździła do Bootshaven najczęściej poza terminami moich ferii. To była dla mnie ulga, bo nie chciałam już z nią jeździć. Kilka razy wpadłam na krótko podczas ferii semestralnych albo odwiedzałam Ingę w Bremie. Kiedy szła do Berthy, nie chodziłam z nią, z wyjątkiem jednego razu. Zauważyłam, że rozczarowuję tym ciotkę i matkę, ale nie mogłam tego zmienić.

Harriet nie została długo w Hamburgu. Wyjechała na wiele miesięcy do Indii, gdzie brała udział w seminariach w jakimś aśramie. Wydawało się, że dobrze jej to robi. Te seminaria kosztowały majątek, przeprowadziła się więc do jeszcze mniejszego mieszkania i pracowała jeszcze więcej. W którymś momencie zaczęła nosić drewniany naszyjnik z wizerunkiem Bhagwana i podpisywać listy imieniem Mohani. Ale poza tym nie zauważyliśmy wielkich zmian.

Pranie mózgu, którego obawiała się moja matka i Inga, nie nastąpiło. Harriet czasem mówiła coś o duchowości i karmie. Ale o tym mówiła też wcześniej. Gdy Rosmarie jeszcze żyła. Christa powtarzała, że dobre jest wszystko, co Harriet dobrze robi. Bo kogo nie można uleczyć, tego się też nie da zranić.

Inga czystym przypadkiem przechodziła wtedy obok szyldu gabinetu lekarskiego doktora Friedricha Quasta. Zadzwoniła do siostry. Kilka dni później Harriet przyjechała pociągiem do Bremy. Usiadła w poczekalni pełnej ludzi. Ponieważ nie była umówiona ani nie miała karty, musiała czekać, aż nikogo już nie będzie. Siedziała spokojnie. Nie czekała na nic. I niczego nie oczekiwała. W końcu pan doktor Quast ruchem ręki osobiście zaprosił ją do gabinetu.

Musiał widzieć w niej tylko jakąś kobietę w średnim wieku z trochę nastroszonymi włosami farbowanymi henną na rudo. Okrągłą, płaską twarz bez makijażu. Zmarszczki wokół oczu i dwie głębokie fałdy przy nosie. Widział jej ubranie, a lubiła kolor szafranu, cynamonu, curry i innych przypraw. Do tego tenisówki. I natychmiast ją przyporządkował, prawdopodobnie jako ezoterycznie usposobioną starą hippiskę, sfrustrowaną, być może rozwiedzioną.

Bez cienia ciekawości zapytał, co ją sprowadza.

Powiedziała, że boli ją serce. Dzień i noc.

Pokiwał głową i uniósł brwi, żeby ją skłonić do dalszego mówienia.

Harriet się uśmiechnęła.

– Miałam córkę. Nie żyje. Ma pan córkę? Syna?

Friedrich Quast popatrzył na nią. Pokręcił przecząco głową. Harriet spokojnie mówiła dalej, ale nie spuszczała go z oczu.

– Miałam córkę. Miała rude włosy jak pan i dłonie usiane piegami jak pan.

Friedrich Quast położył dłonie na stole. Dotychczas tkwiły w kieszeniach jego kitla.

Nie powiedział nic, ale jego prawa powieka zaczęła lekko drgać, gdy przyglądał się Harriet.

– W jakim wieku? – Odchrząknął. – Przepraszam. W jakim wieku była pani córka?

– Piętnaście lat. Prawie szesnaście. Już nie dziecko, jeszcze nie kobieta. Dziś miałaby równo dwadzieścia jeden.

Friedrich Quast przełknął ślinę. Kiwnął głową.

Harriet znów się uśmiechnęła.

– Byłam młoda i kochałam pewnego rudowłosego studenta. Sprawił mi taką przykrość. Nigdy nie miał córki. Ona też nigdy nie chciała wiedzieć, gdzie on jest, chociaż pomogłabym jej się tego dowiedzieć. Czasem coś takiego wcale nie jest trudne. Ale wie pan, łamie mi to serce, bo on nigdy nie będzie miał tej córki. I złamałoby to też jego serce, gdyby o tym wiedział.

Harriet wstała, łzy płynęły po jej policzkach. Friedrich Quast pobielał. Patrzył na nią, oddychał nierówno. Wydawało się, że Harriet zupełnie nie zwraca uwagi na swoje łzy. Idąc ku wyjściu, mówiła:

– Przykro mi, panie doktorze Quast. Wiem, że nie może mi pan pomóc. Pan mi nie, ale wie pan, co? Ja panu też nie.

Szła do drzwi.

– Nie. Nie. Nie wychodzić. Jak miała na imię? Jak miała na imię!

Popatrzyła na niego. Jej zaczerwienione oczy były bez wyrazu. Nigdy nie poda mu imienia Rosmarie. Nawet jej kawałeczka nie powinien dostać.

Powiedziała:

– Muszę iść.

Otworzyła drzwi i zamknęła je cicho za sobą. Rejestratorka rzuciła jej nieufne spojrzenie, gdy przechodziła obok wyprostowana, i kiwnęła głową z roztargnieniem.

*

Gdy kilka tygodni później Inga znów szła tą ulicą, rozglądała się za szyldem gabinetu, ale już go nie było. Inny lekarz tam przyjmował. Weszła i zapytała przy ladzie o doktora Quasta. Już tu nie praktykował – dowiedziała się. Nigdzie w tym mieście.

Inga została w Bremie. Zawsze miała kochanków, wszyscy bardzo przystojni, najczęściej ciut młodsi od niej, ale żaden na poważnie. Ludzi trzymała na dystans, ale uwieczniała chwile. Jej zdjęcia dobrze się sprzedawały. Za cykl fotografii swojej matki otrzymała German Portrait Award 1997. Zaprzęgła do swojej pracy elektrostatykę. Na pogrzebie Berthy opowiadała mi, jak naładowuje filmy za pomocą zmiany temperatury i prześwietla je. Z tych błędów miały wyniknąć nowe możliwości i widoki.

Tymczasem napełniłam jabłkami dwa kosze na bieliznę i plastikową wanienkę. Zaniosłam je do domu i postawiłam w kuchni. Powinnam je przechowywać w piwnicy czy w sieni? Gdzie było chłodniej i bardziej sucho? Na razie zostawiłam je na kuchennej podłodze.

Oparłam się o kosz z jabłkami i wpatrywałam się w czarno-białe czworokątne płytki. Może dzisiaj mi się uda. Akurat, kiedy wydawało mi się, że z tła odcinają się pierwsze znaki, usłyszałam kroki. Do kuchni wszedł Max i nagle stanął, gdy zobaczył mnie pochyloną nad podłogą.

– Źle się czujesz?

Zmieszana, spojrzałam na niego.

– Ależ dobrze, oczywiście.

Błyskawicznie wzięłam się w garść i spytałam:

– Wiesz, jak się gotuje mus jabłkowy?

– Jeszcze nigdy tego nie robiłem. Ale to przecież nie może być szczególnie trudne.

– Dobrze. Czyli nie. Wiesz, jak się obiera jabłka?

– Tak, obawiam się, że to wiem.

– Dobrze. Tu jest nóż.

– Skąd te jabłka?

– Z drzewa, pod którym spaliśmy.

– Ja nie spałem.

– Wiem.

– Jabłka? Ale jest...

– ...czerwiec. Wiem.

– Ponieważ wszystko wiesz, może mi to też wyjaśnisz?

Wzruszyłam ramionami.

– W ogrodzie rośnie drzewo poznania dobra i zła? To znacznie podniesie cenę sprzedaży twojego domu. Pod warunkiem, że nie odrzucisz spadku.

Nad sprzedażą jeszcze się nie zastanawiałam. Popatrzyłam na Maxa, miał zaciśnięte usta.

– Co się dzieje?

– Nic. Pomyślałem tylko, że wkrótce znów wyjedziesz. Że mogłabyś sprzedać ten dom, a potem już nigdy nie wrócić albo jeśli nawet, to dopiero za sto lat, na wózku inwalidzkim, który będą popychać twoje prawnuki. I że zawiozą cię na cmentarz, a ty rzucisz jabłko na mój grób i wymamroczesz: Kto to był, jakże on wyglądał? Ach tak, przypominam sobie, to ten facet, na którego zawsze czatowałam nago! I wymknie ci się piskliwy chichot z tego twojego wciąż majestatycznie wyciągniętego w górę gardełka. A twoje prawnuki przestraszą się i zostawią cię dokładnie w tym momencie, gdy będą z tobą wjeżdżały na wysoką groblę za śluzą. A ty stoczysz się do tyłu i hukniesz do wody albo właśnie w tym momencie otworzy się śluza i...

– Max...

– Przykro mi, zawsze tak dużo mówię, kiedy się boję. Dobrze więc. Chodź i mnie pocałuj.

*

Obraliśmy jabłka i ugotowaliśmy dwadzieścia trzy słoiki musu jabłkowego. Nie znalazłam więcej słoików. Mieliśmy przykurcze mięśni i odciski od kręcenia korbką stalowego przecieraka. Na szczęście, w domu były dwa przecieraki, duży i mały, tak że mogliśmy kręcić we dwoje. Mus przyprawiliśmy cynamonem i szczyptą gałki muszkatołowej. Wzięłam trzy pestki z jabłek, obrałam je i posiekałam. Potem wrzuciłam do musu. Ciepły, słodko-ziemisty zapach gotowanych jabłek wypełnił wszystkie kąty domu, nawet łóżka i zasłony nim pachniały. To był cudowny mus jabłkowy.

Następne dni spędziłam w ogrodzie. Wyrwałam stosy podagrycznika i glistnika, ostrożnie uwolniłam łodygi floksów i margerytek z oplatających wszystko wici. Orliki, które wysiały się na ścieżkach, wykopałam i przesadziłam na rabatki. Przycięłam gałęzie bzu i jaśminu, żeby krzaki agrestu znów miały trochę słońca. Małe, łykowate pędy wyki zdjęłam z chybotliwych źdźbeł i przełożyłam na płot albo przywiązałam do palików. Niezapominajki tymczasem prawie uschły, jeszcze tylko tu i ówdzie przebłyskiwał błękit. Kciukiem i palcem wskazującym ciągnęłam od dołu po cienkich łodyżkach, żeby zebrać nasiona. Podnosiłam dłoń, nadstawiałam do wiatru i pozwalałam małym szarym ziarenkom odfrunąć.

W dniu mojego wyjazdu Max odprowadził mnie na przystanek.
Gdy autobus wjechał w ulicę, powiedziałam:
– Dziękuję za wszystko.
Próbował się uśmiechnąć, ale uśmiech gasł.
– Zapomnij o tym.
Wsiadłam i zajęłam wolne siedzenie. Gdy autobus ruszył z szarpnięciem, ciężar mojego własnego ciała wcisnął mnie w oparcie.

EPILOG

Siedzę przy biurku Hinnerka i patrzę na podwórze. Lipy są nagie. Teraz wiem, jak ten ogród wygląda zimą. Już jedenaście razy przygotowywałam go do tej pory roku. Kładłam gałęzie sosny na grządkach, wrażliwe byliny owijałam matami kokosowymi, przycinałam krzewy i róże. W lutym łączka przed domem pełna jest przebiśniegów.

Na biurku leżą zapiski pewnego bremeńskiego architekta i eseisty, który w latach dwudziestych notował wydarzenia i fenomeny z bremeńskiej niwy sztuki, a później wyemigrował do Ameryki. Redaguję jego spuściznę.

Carsten Lexow umarł rok po Bercie. Po prostu upadł. Z nożycami do róż w dłoni.

Mój syn jeździ z przyjaciółmi na desce pomiędzy lipami na podwórku. Muszę nad sobą panować, żeby nie popukać w szybę i nie poprosić, by podciągnął wyżej spodnie i zapiął kurtkę. Ale długo już chyba nie wytrzymam.

Marznie przecież.

Od kilku dni zajmuję się szykowaniem pokoi na górze dla rodziców. Ojciec postanowił wyprowadzić się z południowych Niemiec, ponieważ tęsknota mojej matki za rodzinnym domem jeszcze się wzmogła. Dużo płacze i mało jada. Wycofuje się.

Zapomina.

Czasem nie wie, czy już gotowała, czy nie. Czasem zapomina, jak się coś gotuje. Może tu, w domu, będzie jej łatwiej, ale w to nie wierzę. I nie wierzę, że ojciec w to wierzy.

Wciąż jeszcze nie widziałam Miry, chociaż przecież należy do rodziny, ale od czasu do czasu dzwonimy do siebie. Max ma z nią lepszy kontakt. Wciąż jeszcze jest partnerką w tej kancelarii i mieszka od jedenastu lat z jakąś nauczycielką w berlińskim mieszkaniu w starej kamienicy. Kiedy rozmawiamy przez telefon, nie mówimy o Rosmarie. Tak bardzo o niej nie mówimy, że możemy usłyszeć jej oddech na linii. I szum nocnego wiatru w gałęziach wierzby.

PODZIĘKOWANIA

Chciałabym podziękować Birgit Schmitz i Katji Weller. Z całego serca dziękuję też Anke Hagenie i Otfriedowi Hagenie, Gerdowi Hagenie, Erice Thies i Christiane Thies. Moją wdzięczność i miłość kieruję do Christofa Siemesa, Johanna i Mathildy.